人生を動かす 哲学者の言葉

植西 聰

永岡書店

哲学者の言葉には
人生を動かす力がある。

幸運の女神は、物事を冷静に考えすぎる人よりも、果敢に行動する人によく従うようである。

マキャベリ（15〜16世紀／帝政ローマ）

無知を怖れてはいけない。偽りの知識を怖れよ。

パスカル（17世紀／フランス）

いい友人がいることは、喜びを倍にして、悲しみを半分にする。

キケロ（紀元前2〜1世紀／古代ローマ）

いかに長く生きたかではなく、
いかによく生きたかが大切だ。

セネカ（紀元前1～紀元1世紀／古代ローマ）

よき友人とは、
自分以外の自己を言う。

ゼノン（紀元前4～3世紀／古代ギリシャ）

時間は、最大の改革者である。

フランシス・ベーコン
（16～17世紀／イギリス）

はじめに

人は、ある意味、一生にわたって、何らかの形で悩み続けながら生きていくのではないでしょうか。

それは、

「生きるとは、いったい、どういうことなのだろう」

「自分にとって幸福とは何なのだろう。どうすれば幸せになれるのか」

「人生のつらく苦しい状況に、どのように向かい合えばいいのか」

「人を愛することとは、どういうことなのだろうか」

「この世の中で、どのように関わっていけばいいのか」

「どのように年齢を重ねていけばいいのだろう」

といった「悩み」です。

もちろん、これは人生の難しい問題であって、なかなか良い答えは見つからないと思います。

そんなときに、哲学者と呼ばれる人たちが残した言葉が、いいヒントになることがあります。

哲学者の言葉を読むことで、それまで頭の中でモヤモヤしていたものが、「ああ、そうだったのか」と晴れ渡るときがあるのです。

そして、その哲学者の言葉を、これからの人生の指針として大切にしていくこともできます。

本書では、そのような「人生に役立つ哲学の言葉」を数多く集めました。

「哲学」と言うと、一般的に、「難しい」「実際の日常生活とはかけ離れている」「意味がよくわからない」といったイメージを持たれていると思います。

確かに哲学には、そういう一面もあるのかもしれませんが、本書では、そんな哲学の言葉を、できるだけわかりやすく理解してもらえるように大胆に意訳しました。

また、読者の皆様方の実生活に即して、実際に参考にし役立ててもらうことができるように解説してあります。

そのうえで、その哲学者が言おうとした奥深い意味は、できるだけ伝わるように工夫しました。

そういう意味で、本書には、読者の皆様方に喜んで読んでいただけるような内容がたくさん詰まっていると確信しています。

現代という時代はますます混迷し、先行きが見通せない時代になっています。「十年後、二十年後、自分の人生はどうなっているんだろう。まったく見通せない」と言う人の声もよく聞きます。

そのような中で、本書にあるような「哲学者の言葉」は、有用な「生きるヒント」を与えてくれるのではないでしょうか。

植西　聰

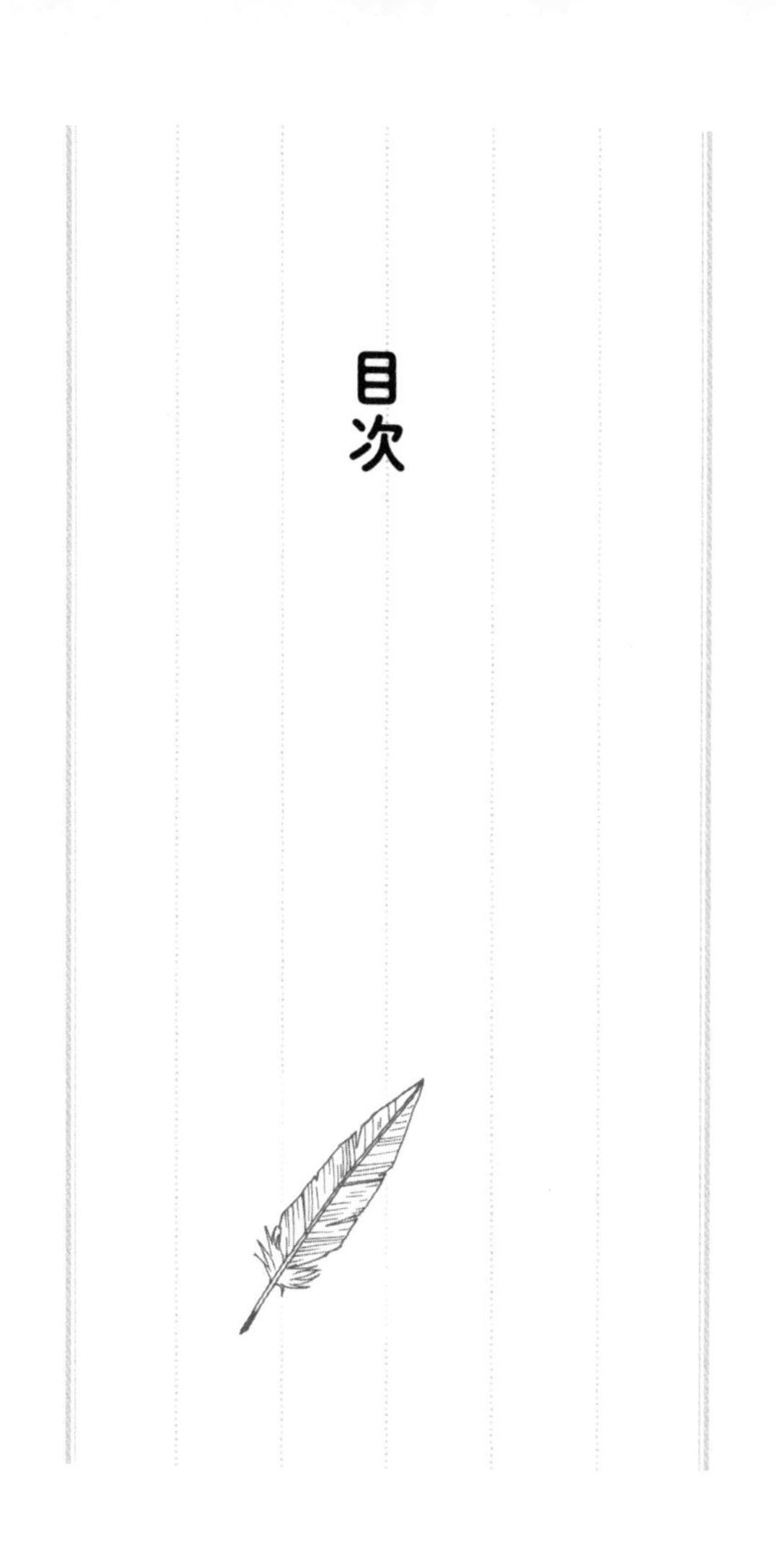

目次

はじめに……6

1章 人生を変えたいと思ったとき
～今を動かすヒント

自立とは本当の意味でこの世に生まれ出るとき……22
「新しい自分」へとリニューアルしていこう……24
成功は行動することから生まれる……26
完全な見通しをつける必要はない……28
上から目線の人に賢い人はいない……30
幸せに向かって生きれば、強い人間になれる……32
悩むときほどよく眠り、希望を持つ……34
成功者は自分でチャンスを作り出す……36

情熱こそが強い行動力の源である……38
昨日を後悔せず今日という日を生きる……40
その年代によって心がけておくべきことがある……42
成功者ほど自信過剰になってはいけない……44
年を取れば取るほど新しい体験を探そう……46
あっという間に過ぎ去る老後を大いに楽しむ……48
幸せに年齢を重ねるためにはまじめに生きること……50

2章 自分に自信をなくしたとき

～自己肯定感をあげるヒント

心から信頼できる友人がいる人は幸せである……54

運に恵まれていないことを言い訳にしない …… 56
今の自分を肯定的に受け入れることが大切 …… 58
精一杯努力して熟睡できる日々を続けていく …… 60
難問に直面したとき秘められた力は発揮される …… 63
考えるだけでなく行動することで人は評価される …… 66
人気度や運勢で人を好きになるものではない …… 68
信頼し合える人がいることは幸せなことである …… 70
運命的な出会いを信じてみよう …… 72
確実にできることだけを約束する …… 75
問題意識を持たねば人は進歩できない …… 78
つらい気持ちもやがて過ぎ去っていくもの …… 80
不幸なときにこそ楽天的な発想の転換をする …… 82

3章

自分の命を実感できる楽しみを持つ……84
自分がいる環境で花を咲かせる……86
人は幸福になるために考える……88

生きづらさを感じたとき
～ありのままで幸せになるヒント

楽しく生きてこそ長生きする意味がある……92
自分らしい生き方を作っていく……94
その気がなければ成功はできない……96
義務とは自分で創造していくもの……98
機が熟すときまで努力をやめない……100

嫉妬や虚栄心を捨ててありのまま生きる……102
自分よりもすぐれた人から素直に学ぶ……104
利口ぶった態度は周りの人から嫌われる……106
相手の立場になって共感する……108
友人に起きたことを我がことのように思う……110
生きているうちは生きていることを楽しむ……112
ひどい言葉を口にする前に一旦考えてみる……114
無闇に人を敵視してはいけない……116
今日やるべきことに全力を尽くす……119
人は社会と関わることで人間的に成長できる……122
論じるべきことは論じて悪口には沈黙する……124
人は世間なしには生きていけない……126

4章

困難が続いているとき
～現実を乗り越えるヒント

飽きずにあきらめないことをモットーに努力し続ける …… 130
思い通りにならない環境で思い通りの人生を作る …… 132
自分の怠けたい衝動に打ち克つことこそ難しい …… 134
思いがけないきっかけにより幸運は導かれる …… 136
大変なことも進んで経験すると喜びを得られる …… 138
本当の友人がいれば未来の困難も怖くはない …… 140
不運なこともとらえ方しだいで幸運に変わる …… 142
困難を乗り越えるためには休息も必要である …… 144
他人に頼るのではなく自分の力で乗り越える …… 146
ポジティブに耐えていく …… 148

好調なときの謙虚さと不調なときの忍耐強さ……150
苦労話を語らない人のほうが信頼される……152
経験と学びによって知恵をつけよ……154
現状に満足するのではなく闘い続ける……156
立ちはだかる障害が人を賢くする……158

5章 さらに高みをめざしたいとき
～自分を磨くヒント

格言を少しでも自分の人生に役立ててみる……162
何歳になっても知識欲にしたがって学ぶ……164
時間がないときも拾い読みで本を読む……166
限りある人生の中で永遠に残るものをめざす……168

創造的な仕事と趣味は人をイキイキさせる……170
健康であることが幸せの基本……172
成功のカギは経験者から学ぶこと……174
下の者からも学ぶリーダーは慕われる……176
自分の無知を認めることから学びは始まる……178
実体験として得られた知識こそ人生に生かされる……180
驚きと感動が知的好奇心を深める……182
得た知識を試してみる行動力が大事である……185
みんなの幸福のために行動していく……188
世のためになる目標を掲げて努力する……190
若い頃の知恵は年齢を重ねてから生かされる……192

6章

どんなときでも心を満たすために

～幸せを引き寄せるヒント

よりよい人生をめざすことが最高の人生となる …… 196
時間を大切にすれば楽しい時間がたくさん生まれる …… 198
飲食・運動・睡眠のときは嫌なことを考えない …… 200
リーダーは自分を成長させる努力を惜しまない …… 202
まじめで誠実な努力が幸せな恋愛を育てる …… 204
一緒に希望を作ることで恋愛のマンネリは回避できる …… 206
世の中のより多くの人たちの幸福を考える …… 208
気取らず礼儀正しい話し方をする人は慕われる …… 210
相手を尊敬する気持ちがないと恋愛はうまくいかない …… 212
夫婦円満の秘訣は会話にあり …… 214

お金に欲張りになってはいけない……216
ほどほどで満足することを心がける……218
参考文献……220

1章

人生を変えたいと思ったとき

～今を動かすヒント

人間は二度生まれる。

ジャン・ジャック・ルソー（18世紀／フランス）

フランスの哲学者であるルソーは、「人間は二度生まれる」と述べました。
人間はまず、母親の体内から、赤ちゃんとして生まれます。
それが、一度目の誕生です。
そして人間として成長し、社会の一員となって、精神的にも経済的にも自立します。
この「大人として自立する」ということが、二度目の誕生です。
そういう意味で、ルソーは「人間は二度生まれる」と表現したのです。
言い換えればこのルソーの言葉は、この二度目の誕生、つまり**人間として自**

立することが重要である、ということを強調していると思います。

母親の体内から生まれ出るということは、ある意味、その本人は特別な努力をする必要はありません。自然の力で生まれ出てくるのです。

しかし、人間として自立するということは、その本人の努力が必要です。多くのことを学び、色々な体験をして、またたくさんの人と出会って、その人は人間として成長し、そして自立していきます。

その過程では、失敗して落ち込むこともあるでしょうし、壁に突き当たって思い悩んでしまうこともあるかもしれません。

しかし、そんな失敗や悩みを乗り越えてこそ、成長し、そして自立できるのです。

そして、この「自立する」ということが、本当の意味で「この世に生まれ出る」ということなのでしょう。

自立とは本当の意味でこの世に生まれ出るとき

脱皮できないヘビは、滅びる。

フリードリヒ・ニーチェ（19世紀／ドイツ）

ヘビという生き物は、「定期的に脱皮する」という習性を持っています。
古くなった皮膚を捨て去り、ヘビは成長していきます。脱皮を繰り返すこと
で、少しずつ体が大きくなっていくのです。
その様子を、ニーチェは「人間」にたとえています。
ヘビが脱皮するように、人間もときに、古くなった考え方や習慣を捨て去る
ことが大切なのです。
そうすることによって、人間は成長していきます。
言い換えれば、**いつまでも古い考え方や習慣にこだわって、そこから抜け出**

せない人は、人間として「滅びる」ということなのです。

この「滅びる」という言葉は少し強く感じられるかもしれませんが、要は、時代の流れに取り残されていき、活躍の場がなくなってしまう、という意味なのです。

ですから、古いものはどんどん取り去って、自分をリニューアルしていく努力をすることが大切です。

アンテナを張って新しい情報をどんどん吸収し、新しいことに積極的にチャレンジしていくのです。

そうすれば、いつまでも人間として「滅びる」ということはありません。

「新しい自分」へとリニューアルしていこう

幸運の女神は、物事を冷静に考えすぎる人よりも、果敢に行動する人によく従うようである。

マキャベリ（15〜16世紀／帝政ローマ）

大きなことを成し遂げようとするとき、もちろん、失敗しないように冷静になって考えてから行動することは大切です。

しかし、一方で「ああでもない、こうでもない」と、いつまでもグズグズ考えすぎてしまうことはよくありません。

グズグズ考えすぎてしまうと、行動力が弱まってしまうからです。

そのために、かえって成功を逃してしまう結果になりやすいのです。

グズグズは、幸運の女神に逃げられてしまう原因になりかねません。

冷静になって考えることも大切ですが、ある程度まで考えたら、果敢（かかん）に行動に出ることが重要です。

幸運の女神は、むしろ果敢な行動力を持つ人に味方することが多いのです。

成功は、行動することから生まれます。

ただ考えているだけでは、成功は生まれません。

それは仕事においても、あるいは趣味や社会活動などにおいても同じことです。

成功を手にするためには、行動力が何よりも大事なのです。

いつも果敢に行動するということを心がけることで、幸運の女神は味方するのです。

成功は行動することから生まれる

決断し行動する前に、完全な見通しをつけようとする者は、決断し行動することはできない。

アミエル（19世紀／スイス）

大きなことを成し遂げ、願望を達成するために、決断し行動しなければならないときがやって来たとします。

その場合は、これからどういうことが起こるか見通しをつけ、「どうすればうまくいくか。どんなリスクを避けなければならないか」といったことを考えるでしょう。

そんなときに、完全主義的な性格が強い人は、往々にして「完全な見通しをつけてから、決断し行動を起こそう」と考えてしまいがちです。

しかし、そのような完全主義的な考え方では、いつまでも決断できず、何の行動も起こせないまま終わってしまうこともあります。

というのも、結局人間には、将来について完全な見通しをつけることなど不可能だからです。

神様でもない限り、これから何が起こるかについて完全な見通しをつけることなどできません。

ある程度見通しがついた段階で決断し、大胆に行動に出てしまうほうがうまくいく確率が高いのです。

そのほうが、パワフルな突破力が生まれるからです。

力強く前へ向かって行動を起こす人のほうが、大きな成功を引き寄せられるのです。

完全な見通しをつける必要はない

人間は賢明になればなるほど、ますます腰を低くして他人から学ぼうとする。

ロジャー・ベーコン（13世紀／イギリス）

「私はあなたより知識も教養もある」といった態度をあからさまに見せて、上から目線で相手に接する人がいます。

そのような上から目線の人は往々にして、実際には「賢明ではない」ことが多いようです。つまり、本当の意味で、賢い人ではないのです。

ただ、賢い人のふりをしているだけなのでしょう。

本当の意味で賢い人は、上から目線で相手に接することはありません。

むしろ、賢い人ほど腰が低いものなのです。

賢い人とは、「自分にはない知識や経験を他人から教えてもらおう」という意欲が旺盛な人です。

だからこそ、腰を低くして、他人からたくさんのことを教わり一層賢くなっていくのです。

そのような「腰が低い人」には、限界というものがありません。

世の中の無限にいる他人から、知識や経験を学ぶことで、その人はたくさん賢くなっていくのです。

上から目線の人は、もともとそれほど賢くない上に、他人から学ぼうという意欲も弱いために、それ以上成長していけません。

成長したいのであれば、腰を低くして他人から学んでいく姿勢が大事なのです。

上から目線の人に賢い人はいない

人間は樹木のようなものだ。木は明るいほうへと枝がどんどん伸びていく。すると、木の根は一層土の下へと張り出していく。

フリードリヒ・ニーチェ（19世紀／ドイツ）

樹木は太陽の方向へ、つまり明るいほうへと、枝を伸ばしていきます。

それと同じように、人間も明るい幸福のほうへ、楽しいほうへと向かって、人生を進めていきたがるものです。

自分なりに明るい幸せを実現するために、それに向かって生きたいのです。

また、樹木は明るいほうへ枝を伸ばしていくにしたがって、地中深くに根を張っていきます。

根を深く張っていくことで、その樹木はしっかりと安定して地面に根づくことができます。

強い風が吹いても、大雨が降っても、簡単に倒れてしまうことはありません。しっかりと立っていられるのです。

人間も樹木と同じように、幸福な人生をめざして生きていくと、人間性の根がしっかりと張ります。ちょっとした困難に直面してもビクともしない、強い人間に成長していくことができるのです。

わかりやすく言えば、明るい幸せに向かって生きていくことで、その人は人間的に成長し、強くなっていけるのです。

したがって、ただひたすら明るい幸せをめざして健やかに生きていくのがいいと思います。

幸せに向かって生きれば、強い人間になれる

神は人間に心配事を与えた償いとして、人間に希望と睡眠も与えた。

ボルテール（17〜18世紀／フランス）

神様は人間を創造するとき、はじめに人間に「心配事」を与えたと言われています。

しかし、心配事ばかりに頭を悩ませている人間を見て、かわいそうに思い、その償いとして「希望」と「睡眠」も与えました。

「希望」があれば、たとえ「心配事」があっても、明るい気持ちで幸せに生きていけます。

また「睡眠」があれば、「心配事」で疲れ切った心身を、安らかに休息させることもできます。

言い換えれば、**希望を持って生き、夜にぐっすりと眠って休息するということが、人間の幸福にとっていかに大切か**ということです。

確かに、この世に生きていれば、小さなことから大きなことまで、心配事は山のようにあるでしょう。

そんな心配事に押しつぶされそうになっている人もいるかもしれません。

しかし、そんなときこそ、希望を持つことが大切です。

自分ならではの楽しい夢を持ち、その夢が叶う日がやって来ることを希望にして、日々の生活を送っていけばよいのです。

そして、夜は心安らかに熟睡することで、明日の朝を明るい希望を持って迎えることができるのです。

悩むときほどよく眠り、希望を持つ

もしチャンスが訪れないのなら、みずからチャンスを作り出せ。

サミュエル・スマイルズ（19〜20世紀／イギリス）

「自分はチャンスに恵まれない、不幸な人間だ」と嘆いている人がいます。
しかし、自分の運命を嘆くよりも、その前にやるべきことがあると思います。
それは「みずからチャンスを作り出す」ということです。
チャンスに恵まれないときでも、自分でチャンスを作り出すことは十分に可能です。
それは、「行動する」ということ。
まずは動いてみるのです。そうすれば、チャンスが見つかります。

何もせず、ただ嘆いているばかりでは、新たなチャンスを作り出すことは不可能でしょう。

たとえば、今までしたことがないことを試してみます。

アドバイスを求めるために、人に会うのもいいでしょう。

また、人がやってうまくいっていることを、自分もやってみるのもいいと思います。

とにかく、色々な行動を起こしてみるのです。思いがけないところで、新たなチャンスが必ず見つかるでしょう。

そして、チャンスが見つかったら、そのチャンスを掴み取るために全力で行動するのです。

みずからチャンスを作り出せる人が、成功するのではないでしょうか。

成功者は自分でチャンスを作り出す

情熱は帆船の帆をふくらませる風である。風がなければ、その帆船は海へ乗り出せない。

ボルテール（17～18世紀／フランス）

人は力強く行動していくことで、この世界で活躍することができます。

では、そんな力強い行動力を生み出すものは何なのでしょうか。

ボルテールの言葉は、それが「情熱」であると指摘しています。

「やってやるぞ」「必ずやり遂げる」という情熱があってこそ、その人は強い行動力を発揮して活躍し、また、注目を集めることができるのです。

そんな「情熱」を、ボルテールは「風」にたとえました。

「帆船」とは、風を帆に受けて進む船です。

ですから帆船は、風が吹かなければ海へ乗り出していけません。

それと同じように、**「情熱という風」がない人には、行動的にこの世界へと乗り出していき、そこで活躍することができない**のです。

いくら才能や能力があっても、情熱がない人は行動力を発揮できず、活躍して注目を集めることができません。

大切なのは「情熱を持って生きる」ということなのです。

では、どうすれば、そんな情熱を持てるのでしょうか。それは、「夢を持ち、その夢を叶えたときの喜びをイメージしてみる」ことです。

そのときどんなにうれしいかを想像すれば、自然と「やってやる」という情熱が生まれてくるのです。

情熱こそが強い行動力の源である

人は、ふたたび、同じ川の水を浴びることはできない。

ヘラクレイトス（紀元前6〜5世紀／古代ギリシャ）

平安時代の随筆家だった鴨長明（かものちょうめい）は、彼が書いた『方丈記（ほうじょうき）』の中で、「ゆく河の流れは絶えずして、しかも、もとの水にあらず」と述べました。

これは、「川の水の流れは昨日も今日も変わりはないが、昨日流れていた川の水は下流へと流れ去り、今日流れている川の水は新たに上流から流れてきたものだ」という意味を表しています。

実は、古代ギリシャの哲学者だったヘラクレイトスも、鴨長明と同じことを言っているのです。

つまりこの名言は、「昨日浴びた川の水は、すでに下流へと流れ去り、今日浴びている川の水は、新たに上流から流れてきたものだ」ということなのです。

そして両者とも、これは「川の水」をたとえ話にして、実は「時の流れ」について言い表しているのです。

「時間の流れは日々続いていくが、昨日はもはや過去へと流れ去った。今日という日は、新たにやって来た一日なのである」という意味になります。

言い換えれば、「昨日という日は、もう過去へと過ぎ去っていったのだから、昨日という日のことを思い出して後悔してもしょうがない。それよりも、今日という日を大切に生きていくことが重要だ」ということを説いているのです。

昨日を後悔せず今日という日を生きる

若いときには、謙虚になれ。我を張るのではなく、温和になれ。中年になったら、公正になれ。

ソクラテス（紀元前5〜4世紀／古代ギリシャ）

人には、その年齢にふさわしい生き方があるように思います。

多くの哲学者も「その年齢にふさわしい生き方」について述べています。

まず、若いときには謙虚に生きるということが大切です。

「自分はまだまだ勉強が足りない」と謙虚に考え、人には「色々と教えてください」という態度で接します。

そうすることで、人生の先輩から、たくさんのいいことを吸収でき、それを力にして将来的に大活躍できるのです。

また、我を張るのではなく、温和に生きることも大切です。

そうすることで、たくさんの友人を得ることができます。

よき友人がいるということは、幸せな人生を築いていくためにとても重要です。

その年代によって心がけておくべきことがある

三十代から五十代の、いわば中年と呼ばれる年齢にある人は、公正な生き方をすることが大切です。

人生のリーダーとして、正しいことを貫き、悪いことはしないようにします。

自分の利益を最優先に考えるのではなく、すべての人に対して公平に接するのです。

そうすることで、多くの人から信頼され、尊敬されるでしょう。

結果、多くの人の協力を得て、大きなことを成し遂げられるのです。

人間は自信過剰になり、偉そうに振る舞い、高い地位につくにしたがって、平凡になっていく。

アラン（19～20世紀／フランス）

すばらしい能力を持ち、一生懸命になって努力した結果、大成功をおさめた人がいたとします。

その人は、成功したことで、高い地位にもつきます。

そのことで自分自身に対して大きな自信を持ち、何かと偉そうな振る舞いをするようにもなるでしょう。

しかし、その結果として、かつての能力や人間性の輝きを失って、取るに足らない「平凡な人間」になってしまうこともあるのです。

なぜ、そうなってしまうのかと言えば、自信過剰になって、謙虚に努力していくことを忘れてしまうことが原因である場合が多いようです。

どんなに大きな成功をおさめたとしても、謙虚に努力を続けていく生き方を忘れてはいけないのです。

その成功も、結局は、謙虚に努力してきた結果として得られた賜物（たまもの）であるからです。

成功をおさめた後も、謙虚に努力し続けていけば、平凡な人間になってしまうことはありません。さらなる成功へ向かって飛躍することもできるでしょう。

そうすれば、いつまでも先頭に立って活躍し続けることができるのです。

そのほうが、ずっとすばらしい人生になるはずです。

成功者ほど自信過剰になってはいけない

若いときは一年が長く感じられる。年齢を重ねるにしたがって、あっという間に一年が過ぎ去っていくように感じられる。

フランシス・ベーコン（16～17世紀／イギリス）

「年齢を重ねるにしたがって、時間が過ぎ去っていくのが早く感じられる」「一年なんて、あっという間だ」「時間ばかりがどんどん過ぎ去っていって、なんだか虚しい気持ちだ」というようなことを言う人がたくさんいます。

なぜ、そのような現象が起こってしまうのでしょうか。

その理由の一つとして、心理学では、「年齢を重ねるにしたがって、感動することが少なくなるから」ということが挙げられています。

毎日同じことを繰り返し、生活がマンネリになってしまって、感動することがなくなっていくと、それにともない、時間の流れが速く感じられるようになるのです。

一方で、若いときに一年が長く感じられるのは、新しい体験が多いので、日常生活の中で感動することがたくさんあり、人生が充実しているからなのでしょう。

ある程度年齢を重ねてきた人は、自分から意識して「感動すること」を生活に取り入れていくようにするといいと思います。

何か新しいことにチャレンジしてみたり、交友関係を広げて、未知の人と出会う機会を増やすのです。

行ったことがない場所に旅行するのもいいでしょう。

そうすれば、感動することが増え、日々の生活が充実し、あっという間に一年が過ぎ去っていくということもなくなります。

年を取れば取るほど新しい体験を探そう

老齢は迅速に過ぎ去る。とにかく私たち人間にとっては、迅速である。

プラトン（紀元前5〜4世紀／古代ギリシャ）

この言葉は、「年齢を重ねていくにしたがって、月日は驚くほどあっという間に過ぎ去っていく」ということを表しています。

プラトンは、紀元前5〜4世紀に生きた哲学者ですが、それほど昔から人間は、年齢を重ねると、時間の流れを速く感じるようになることを実感していたのでしょう。

また、この言葉は「年齢を重ねていくにしたがって月日はあっという間に過ぎ去っていくのだから、ボンヤリしていてはいけない。一日一日を大切にして、人生を大いに楽しむのがいい」ということも指摘しています。

年齢を重ねると、人は体力が弱っていきます。若い頃のように精力的に動き回ることはできなくなります。

しかし、そうであっても、**「今の自分ができる範囲で、人生を大いに楽しもう」という意欲を持って、人生を楽しむことが大切**です。

「終わりよければ、すべてよし」という言葉もありますが、人生の最終コーナーが楽しく幸せなものであるならば、その人の一生のすべてが楽しく幸せなものであったとも言えるのではないでしょうか。

少なくとも、その本人には、そのように感じられると思います。

そのためには、「迅速な老後」を大いに楽しむことです。

あっという間に過ぎ去る老後を大いに楽しむ

**どんなふうに年齢を重ねていくかを
考えることは、
人間の知恵にとって
もっとも主要な仕事であり、
また、もっとも難しい仕事でもある。**

アミエル（19世紀／スイス）

年齢を重ねるということは、人間の自然現象です。
何もしなくても、時間とともに年齢は増えていきます。
しかし、「幸せに年齢を重ねていく」ということは、実は、とても難しいのです。

「自分にとっての幸せは何か」ということをよく考え、また、「幸せな人生を実現するためには、どうすればいいか」ということをよく検討し、それを様々な形で実践していく必要があるでしょう。

その途中で、失敗や挫折を繰り返したり、どうしようもない事情のために人生の方向転換を迫られるときもあります。

年齢を重ねるということ自体は簡単なことでも、前述したように「幸せに年齢を重ねていく」ということは、とても難しいことなのです。

難しい問題だからこそ、安易に考えてはいけません。

今の年齢から、これからの人生を見据えて、人生の様々な段階で、何を実現したいかを、日頃から真剣に考えておく必要があります。

また、幸せな人生をまっとうするためには、今何をしなければならないかを常に考え、それを実践していく必要があります。

「生きる」ということにまじめに取り組んでいけば、きっと、幸せに年齢を重ねていくこともできるでしょう。

幸せに年齢を重ねるにはまじめに生きること

2章

自分に自信をなくしたとき

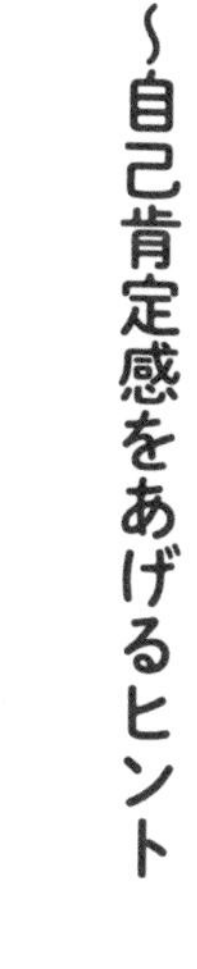

～自己肯定感をあげるヒント

いい友人がいることは、喜びを倍にして、悲しみを半分にする。

キケロ（紀元前2～1世紀／古代ローマ）

心から信頼できるよき友人がいる人は、それだけで幸せだと思います。

自分自身に何かうれしいことがあったとき、きっと、よき友人は一緒になって喜んでくれるでしょう。

そのよき友人は、「よかったね。おめでとう」と、笑顔で祝福してくれるでしょう。

そんなふうに**友人が一緒に喜んでくれることで、自分自身の幸せな気持ちも倍増する**のです。

一方で、自分自身が何か悲しい出来事を経験したときには、そのよき友人がそばに寄り添って、やさしく慰めてくれるでしょう。

「早く元気になってね」と、励ましてくれると思います。

そんな**心あたたかい友人がいてくれるおかげで、自分自身の悲しみも半減するる**のです。

そういう意味から、心から信頼できるよき友人がいることは、とても幸せなことなのです。

そんなよき友人と、いつまでもいい関係を保っていくためには、もちろん、自分のほうからも、その友人にうれしい出来事があったときには、一緒になって喜んであげる必要があります。

また、その友人が悲しい思いをしているときには、その友人のそばに寄り添って慰めてあげることが大切です。

心から信頼できる友人がいる人は幸せである

運命は我々の行為の半分を支配している。しかし、他の半分は、我々自身に委ねている。

マキャベリ（15〜16世紀／帝政ローマ）

人間の人生が「運命」によって左右されることは事実だと思います。

強く望んでいたことであっても、運に恵まれずに、挫折を繰り返してしまうこともあるかもしれません。

まるで運に見放されてしまったように、悪いことばかり続いてしまうこともあるでしょう。

運が悪く、環境の悪いところで仕事をしたり、暮らしていかなければならない場合もあります。

しかし、人間は、人生のすべてを「運命」によって支配されているわけではないのです。

人生の半分くらいは「運命」によって左右されることもあるでしょうが、他の半分は、自分自身の力と行動によって人生を作り出していけるのです。

ですから、「運に恵まれていない」と思うことがあっても、あきらめることはありません。

運命の手が届かない「他の半分の人生」を、自分の行動力を出し切って、切り開いていく意欲を持つことが大切です。

また、自分で積極的に運を切り開いていけば、運全体を支配することも可能です。

そうすれば十分に、幸せな人生を実現できます。

運に恵まれていないことを言い訳にしない

貧しくても、自分の生活を愛するのがいい。

ソロー（19世紀／アメリカ）

自分の生活の「貧しさ」を嘆く人がいます。

そして、お金を持っている人を羨(うらや)んだり、がんばって生きていく意欲を失ってしまう人もいます。

しかし、そんなふうにして「貧しい生活を嘆く」ということは、その人の今後の人生にとってあまりよいことではないと思います。

確かに現実社会には、収入の格差があります。たくさん収入がある人もいれば、あまり収入がない人もいます。

しかし、自分が望んでいるような収入が得られていなくても、そのことを否定的に考えて嘆いてばかりいるのは精神的によくありません。

嘆いてばかりいても、希望のある将来はやって来ないと思います。

まずは、**現状を肯定的に受け入れることが大切**です。

たとえ貧しい生活であっても、その生活を「愛する」のです。

ソローが、この言葉で言っている「愛する」ということは、言い換えれば、「肯定的に受け入れる」ということです。

ですから、肯定的に受け入れ、その範囲内で、自分ができることに全力を尽くすのです。

そうすれば、人生がいい方向へと好転していきます。

その結果、収入もだんだん増えていき、すばらしい人生を実現できるのではないでしょうか。

今の自分を肯定的に受け入れることが大切

夜寝る前に、今日やるべきことを怠けてしまわなかったか反省してみる。もし、一生懸命に努力した一日であったならば、それを喜んで眠る。

ピタゴラス（紀元前6～5世紀／古代ギリシャ）

もし、今日という日を、怠けてばかりいて、やるべきことをせずに過ごしてしまったとします。

そういうときは多くの人が往々にして、その日の夜の寝つきが悪くなってしまうものです。

「怠けてしまった」という後悔の念と、「自分は意志が弱い人間だ」という自己嫌悪の感情に苦しむことになって、寝つきが悪くなってしまうのです。

すると、熟睡することもできず、翌朝もスッキリとした目覚めを得ることはできません。

一方で、その日やるべきことを一生懸命になって努力した日の夜は、とても寝つきがいいものです。

「やるべきことを、やった」という充実感と満足感から、心地よい眠りにつくことができます。

その結果、ぐっすりと眠ることができ、翌日も気持ちよく目覚めることができます。

そして、新しい一日を、活力を持って始めることができるのです。

そのようにして、**活力ある生活をし、そして毎晩よく眠れる日々を送っていくことができる人は、間違いなく、幸せな人**なのではないでしょうか。

逆の言い方をすれば、怠けてばかりいて、後悔と自己嫌悪とともに寝床につくような日々を続けていく人は、不幸であるに違いありません。

まずは、今日やるべきことを精一杯努力することです。

そうすれば充実した幸せな日々が続いていきます。

精一杯努力して熟睡できる日々を続けていく

自己肯定感をあげるヒント❺

人間の魂は、本来、多くの知識や能力や知性を保有している。普段は隠れていても、外界の対象を経験する機会に応じて、それらのものが呼び起こされる。

ライプニッツ（17〜18世紀／ドイツ）

何か大きなことを成し遂げようとしている人は、時として「難しい問題に直面したとき、自分の能力で乗り越えていけるだろうか」と不安に思うことがあります。

しかし、そのように**今一つ自分に自信を持てない人であっても、いざ難しい問題に直面したときには、その問題を解決するための知識を思い起こしたり、すばらしい能力や知性を発揮して、問題を乗り越えていけるもの**なのです。

普段は、その本人とすれば、自分には、そんなすばらしい知識や能力や知性があるとは気づかないでいるのかもしれません。

しかし、その人の「魂」の中には、そんなすばらしい「知識や能力や知性」がしっかりと保有されているのです。

そして、そんな秘められた知識や能力や知性が、何か難しい問題に直面したときに発揮されるものなのです。

ですから、困難にあっても、あまり心配する必要はありません。

自分を信じて行動していけばいいのです。

もちろん、そのためには、普段から、知識を蓄えたり、能力や知性に磨きをかけていく努力をしておくことが大切です。

普段からそのような努力をしておけば、いざというときには必ず、その秘められた知識や能力や知性を発揮できます。

難問に直面したとき秘められた力は発揮される

あなたの行動、あなたの行動のみが、あなたの人間としての価値を決定する。

ヨハン・ゴットリープ・フィヒテ（18～19世紀／ドイツ）

たとえよいことを考えていたとしても、それだけでは、その人は「立派な人だ」「大したものだ」と、高い評価を得ることはできないでしょう。

そのよい考えを行動に移して、実際に実践することによって、その人は初めて世間から高く評価されるのです。

そういう意味では、**人間としての価値は、その人が「どんな行動をしたか」によって決まる**のです。

言い換えれば、それだけ実際に行動してみるということを重要視していく必要がある、ということです。

たとえば、仕事の会議である企画を提案し、「すばらしい企画じゃないか」と評価されたとします。

しかし、それは本当の意味で、その人が高い評価を受けたことにはならないのです。

その後、その企画を具体化し、そして成功に導くために行動しなければ、本当の意味で、その人は高い評価を得ることができません。

もし、いい企画を提案はしたが、その後、何の行動もせずに、その企画をほったらかしにしていたら、どうなるでしょうか。

たちまち、「あの人には、やる気がないのか」「結局、あの人は口先だけの人だったんだ」と、最低の評価を受けてしまうことになるでしょう。

考えるだけでなく、行動に移してこそ、高く評価されるのです。

考えるだけでなく行動することで人は評価される

世間の人は多くの場合、その人の人気とか、運勢の強さばかりを見て、品定めをする。

ラ・ロシュフーコー（17世紀／フランス）

世間的に人気がある人を好きになる人がいます。

人気がある人を自分の恋人や結婚相手にしたいと願う人もいるでしょう。

一方で、「運勢が強い人」を好きになる人もいます。

強い運勢を持っていて、何かの分野で大成功をおさめるような人です。

恋人や結婚相手を選ぶのであれば、そんな「運勢が強い人」がいいと願っている人もいるかもしれません。

しかし、単純に「その人はたくさんの人たちから人気があるから」だとか、

「あの人は運勢が強いから」という理由だけで恋人や結婚相手を選んでしまうと、結局は、うまくいかない場合もあります。

そこには、本当の意味での愛情が欠けているからです。

恋人や結婚相手を選ぶときは、相手の人気度や運勢の強さを見るのではなく、やはり、「本当に心から信頼できる相手か」「相手の人間性を心から愛せるか」「価値観が合うか」「お互いに尊重できるか」「長い間、話ができるか」ということを基準にするべきではないかと思います。

心から信頼できる相手であれば、たとえ世間的には人気などあまりない人でも、幸せにつき合っていけるでしょう。その他、相性や価値観などのお互いの関係も重要な要素になります。

運勢に恵まれている相手よりも、信頼関係を築ける相手のほうが、希望を持ってつき合っていけるのです。

人気度や運勢で人を好きになるものではない

信頼関係は、私たちの一つの財産である。

ジョゼフ・ジュベール（18～19世紀／フランス）

心から信頼できる人がいるということは、その人にとって一つの財産です。

また、自分のことを心から信頼してくれる人がいるということも、その人にとっては一つの財産になるでしょう。

この「財産」とは、もちろん、お金のことではありません。

幸せに生きていくために大切なものという意味です。

「信頼できる人は誰もいない」「自分を信頼してくれる人は一人もいない」という人は、きっと、孤独で不幸な人だと思います。

そのような人は、何か困った状況になったとき、助けてくれる人がいません。

相談できるような人もいません。

ですから、自分一人きりで悩み続けなければならないのです。

それは、その本人にとって、とてもつらいことではないでしょうか。

人間にとって、信頼関係で結ばれた人が一人でもいるということは、とても幸せなことです。

困った状況にあるとき、自分を助けてくれたり、相談できたりする相手がいることは、とても心強く安心できることです。

信頼し合える人を持ち、その人との関係を大切にしていくことが、人生にとっては大切なのです。

信頼し合える人がいることは幸せなことである

もしも誰かから、
「なぜ彼を愛したのか」と問われたら、
それは、
「彼が彼であったから。
私は私であったから」
としか、答えようがないように思う。

モンテーニュ（16世紀／フランス）

昔から恋人同士になる人や、あるいは、夫婦となる人について、「赤い糸で、小指と小指が結ばれていた」といった言い方をすることがあります。

赤い糸とは、つまり、愛し合う2人には「運命的な関係がある」ということを言い表しているのでしょう。

人を好きになるのには、実は、はっきりとした理由などありません。

本人が、その人との出会いを運命的なものに感じて、そして、好きになっていくのではないでしょうか。

運命の人との出会いを信じることが大切なのです。

今、結婚をしておらず、恋人がいない人であっても、そんな運命的な出会いがきっとあると思います。

ですから、**嘆いたり、いじけたりすることなく、運命的な出会いを探し求めましょう。**

そのために**積極的に努力していくことが大切**です。

探し求めて、行動していけば、その先に必ず、運命的な出会いが待っているのではないでしょうか。

そんな運命の力を信じて、希望を持って、行動的に生きていくことができる人が、幸せになれるのです。

運命的な出会いを信じてみよう

自己肯定感をあげるヒント⑩

できないことを、「絶対できる」「必ずやる」という約束はしないほうがいい。さもなくば、「今できること」という最小限の約束にとどめることだ。

カール・ヒルティ（19〜20世紀／スイス）

絶対にできないことを、「絶対にやります」などと空約束することは、社会的な信用を失う原因になります。

「必ずできます」と太鼓判を押すようにして約束しておきながら、その約束を果たせなくなり、「やっぱり、できませんでした」などと言ったら、相手はどう思うでしょうか。

相手は、きっと、「この人は信用できない。大事なことを任せられない」と感じてしまうでしょう。

そんなふうに「空約束をしては、相手を裏切る」ということを繰り返していたら、社会的にもすっかり信用を失ってしまうのです。

そのようにならないために大切なことは、できないことは約束しないということです。

そして、約束するとしても、それは確実にできることにとどめておくということなのです。

できないことは、正直に「できません」と言う人のほうが、社会的に信用さ

れます。

確実にできることを約束し、その約束をきっちり果たしていく人は、より一層社会的な信用を増すことができるのです。

人が幸せに生きていくためには、社会的な信用を得るということが、とても重要なのです。

確実にできることだけを約束する

今の自分に完全に満足しきってしまったら、どんな種類の改良も望まなくなってしまうだろう。

アダム・スミス（18世紀／イギリス）

「生きる」とは、言い換えれば、進歩することだと思います。

よりよい自分、よりすばらしい人生、より幸福な生活へと向かって進歩していくことなのです。

また、進化するということが、その人の生きがいとなり、「進化している自分」を感じられることが、その人にとっての大きな喜びになるでしょう。

では、そんなふうに進化していくための原動力は何なのでしょうか？

それは、問題意識を持つということではないかと思います。

「今の自分には、ちょっと不満な点もある。これを反省して改善すれば、さらによりよい自分へと進歩していけるのではないか」

「まだまだ、やりたいことをすべてやってはいない。さらなるチャレンジ精神を持って、新しいことに挑戦していけば、よりすばらしい人生を達成できる」

「こんなことを変更すれば、生活がより進歩して、さらに家族と幸福に暮らしていけるのではないか」

といった問題意識を持つことです。

アダム・スミスがこの言葉で指摘しているように、もし、このような問題意識を持たず、今の自分に完全に満足しきってしまったら、その人はどんな種類の改良も望まなくなってしまうために、もはや、進歩することもなくなってしまうでしょう。

問題意識を持たねば人は進歩できない

万物は流転する。

ヘラクレイトス（紀元前6～5世紀／古代ギリシャ）

ヘラクレイトスが打ち立てた哲学は、自然哲学と呼ばれています。

自然哲学とは、自然現象を観察した上で真理を導き出した哲学のことです。

そしてその結果、ヘラクレイトスが導き出した真理が、「万物は流転する」ということだったのです。

これは、わかりやすく言えば、**「すべてのものは時間の経過とともに変化していく」**ということを意味しています。

自然も、そして人間も、すべてのものが時間とともに変化していきます。

それが、「自然の真理」だということです。

つらい気持ちもやがて過ぎ去っていくもの

この世のものに、今後永遠に続くものはないのです。

今、人生で、苦しい状況にある人がいるかもしれません。

しかし、時の経過とともに、そんな苦しい状況も移り変わっていくのです。

そして、希望に満ちた状況へと変化していくでしょう。

人間の心も同様です。今、絶望的な気持ちでいるとしても、時の経過とともに移り変わっていきます。

やがて平穏な気持ちに変化していくのです。

「万物は流転する」という言葉は、どんな状況にあっても悲観したり絶望したりするのではなく、楽天的でいることが大切だ、と教えてくれているように思います。

「私は不幸だ」と考えることほど、その身を不幸にするものはない。

セネカ（紀元前1〜紀元1世紀／古代ローマ）

「自分はなんて不幸なんだろう」と、嘆く人がいます。

確かに、そのように思ってしまう理由があるのかもしれません。

仕事がうまくいかなかったり、金銭的につらい状況に追い込まれたり、あるいは、恋人に振られてしまったり、人間関係が悪くなってしまったり……といった理由です。

しかし、そこで自分は不幸だと考えないほうがよいのです。

自分は不幸だと考えてしまうことは、自分で自分自身をさらに一層不幸のど

ん底へと突き落としてしまう結果になりかねないからです。

ですから、たとえ不幸なことを経験することがあったとしても、そんな自分を不幸だと考えないようにすることが大切です。

そういう場合、楽天的に発想の転換をするのがいいでしょう。

たとえば、「この不幸を経験することで、私は精神的に、これまでより何倍も強くなれた。そういう意味では、今こういう経験をしたことは、自分の人生にとっては幸福なことだった」と考えてみるのです。

このように考えれば、不幸な出来事を嘆くことはなくなると思います。

むしろ前向きに、希望を持って、これからの人生を歩んでいくことができるでしょう。

楽天的に発想の転換をすれば、悪い出来事にも、実はポジティブな一面があることが見えてきます。

不幸なときにこそ楽天的な発想の転換をする

生命に対する無知が、人間の無知の特徴である。

アンリ・ベルクソン（19～20世紀／フランス）

フランスの哲学者だったベルクソンが生きた時代は、ちょうど機械産業がすさまじい進歩を遂げた時代でした。

自動車が普及し、飛行機も登場しました。

また、自動車や飛行機を生産する工場がオートメーション化されました。

その他にも、電話、映写機、蓄音機、冷蔵庫など、様々な電化製品がどんどん登場してきた時代だったのです。

確かに、そのような機械社会が発達したおかげで、人間の生活はとても便利になりました。

しかし、一方で、ベルクソンは「人間が、自分の命を実感する機会が少なくなっているのではないか。命ある人間としての幸福感を失いつつあるのではないか」という問題意識を提起したのです。

現代もまた、ＩＴやＡＩなどコンピューター社会が急速に進んでいます。

そんな中で、現代人もまた、命ある人間としての幸福感を失いつつあるのかもしれません。

そういうときは、**自分の命の躍動を実感できるような何か楽しいことを行う習慣を持つほうがいい**でしょう。

それが、現代人が幸福感を得る方法の一つになるのです。

自分の命を実感できる楽しみを持つ

もっといい時代はあったかもしれないが、今が我々の時代なのだ。

ジャン・ポール・サルトル（20世紀／フランス）

哲学者のサルトルが生きた時代は、ヨーロッパで第一次世界大戦、そして第二次世界大戦があった時代でした。

フランス人だったサルトルは、まさに戦争の時代に生きたのです。

そんなサルトルは、「戦争の時代ではなく、平和だった過去の時代に生まれたかった」と思うこともあったのかもしれません。

しかし、人間は、自分の希望で違う時代に生まれ変わることはできません。

自分が生まれた時代の中でしか生きていくことはできないのです。

サルトルは、**「ならば、自分が生まれた、この時代の中で幸せに生きていく生き方を考えていくしかない」**と考えたのです。

そんなサルトルの気持ちが、この言葉の中に表されています。

したがって、他の環境を羨ましく思ってはいけません。

自分が今いる環境よりも、いい環境にいる人もいるかもしれませんが、だからといって他の環境を羨ましく思っていても意味はないのです。

今自分がいる環境の中で、幸福という花を咲かせることを精一杯考えて、また、考えたことを実践していくほうがいいでしょう。

そのような方法でしか、人間は幸福を掴むことはできません。

つまり、厳しく見えるような状況の中でも、幸せになれる人もいるということです。

自分がいる環境で花を咲かせる

身体から
病気を追い出すことができない医学に
何の意味もないように、
心から
苦しみを追い出すことができない哲学には、
何のメリットもない。

エピクロス（紀元前4～3世紀／古代ギリシャ）

人間にとって、哲学はなぜ必要になるでしょうか。
それは、

「哲学が、心から苦しみを追い出し、そして、その心を幸福感で満たすものだからだ」

とエピクロスは考えました。

哲学と言うと、ちょっと堅苦しい感じになりますが、ここでは「考えること」と理解していいと思います。

人は日常生活の中で様々なことを考えながら生きています。

考えるということは、人の人生そのものと言っていいでしょう。

では、なぜ人は考えるのかと言えば、それは心から悩みや苦しみ、不安といったものを追い出すためです。

そして心を、どうすれば楽しみや喜びや愉快さといったもので満たすことができるかを知るために、人は考えるのです。

逆に、**悩み、苦しみ、不安といったものをさらに増やすことは、考えてはいけない**のです。

ネガティブな考え方に陥ってしまうと、人は、悩みや苦しみ、不安から抜け出せなくなります。
したがって、何事もポジティブに、楽天的に考えることが大切なのです。
そうすれば心が、楽しみや喜び、愉快さといった幸福感で満たされていくでしょう。

人は幸福になるために考える

3章

生きづらさを感じたとき

～ありのままで幸せになるヒント

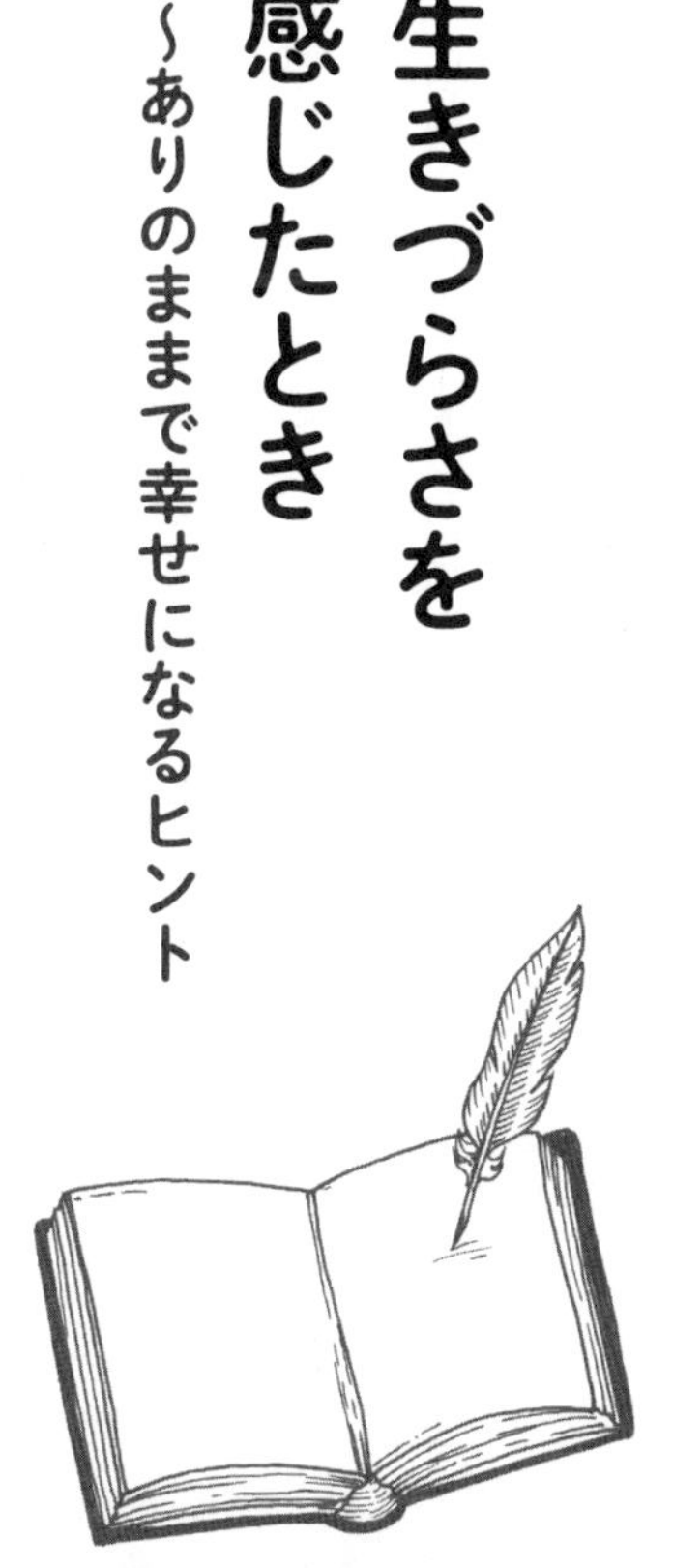

いかに長く生きたかではなく、いかによく生きたかが大切だ。

セネカ（紀元前1～紀元1世紀／古代ローマ）

長生きすることは、もちろん、すばらしいことです。

しかし、ただ単に長生きするだけでは、あまり意味がないようにも思います。

大切なのは、いかに充実した人生を築いていくかではないでしょうか。

言い換えれば、自分ならではの夢を持ち、その夢に向かってポジティブに生きていくことです。

また、たくさんのいい友人を持ち、自分を楽しんでいくのです。

自分自身を成長させていく努力を絶えず続けていき、そして多くの人から尊敬される人物になるのです。

そのようにして豊かな自己実現をはかり、結果として長生きできれば、その人の人生はすばらしいものになるでしょう。

そういう意味では、**まずは「人生を充実させ、いかによく生きるか」を優先するほうがいい**のではないでしょうか。

自分ならではの楽しい夢を持ち、充実した人生を送っていく人は、自然に「自分自身の健康を大切にしていこう」という気持ちが生まれます。

健康であってこそ、夢を追いかけて楽しく生きていけるからです。

ですから、充実した人生を送っていく人は、日頃から健康に気をつけて、運動をしたり、暴飲暴食を慎んだりします。

また、できるだけ、ストレスを溜めないようにします。

そういったすべての結果として、長生きできるようにもなるのです。

楽しく生きてこそ長生きする意味がある

人間は自由であり、常に自分自身の選択によって行動すべきである。

ジャン・ポール・サルトル（20世紀／フランス）

「どのように生きるか」という点で言えば、基本的に、人間は自由です。自分の志（こころざし）や考え方によって、決めることができるのです。

もちろん、家族や友人たちから「こういう生き方をするほうがいい」と言われることがあるかもしれません。

会社では、上司の指示にしたがって仕事をしなければならないでしょう。

しかし、本質的に言えば、自分の生き方を決めるのは自分自身なのです。

自分の生き方について周りの人たちから言われることは、貴重なアドバイスとして参考にしながら、最終的には自分自身で決めていくしかありません。

また、家庭や仕事などで様々な束縛を受けるかもしれませんが、基本的には、**「自分の生き方は自分で決めていく」という意識を忘れないことが大切**なのです。

わかりやすく言い換えれば、「自分らしい生き方を、自分で創造していく生き方をするのがよい」ということです。

自分らしい、自分にしかできない生き方をすることが、その人にとってはもっとも幸福なことなのです。

それが、充実した、悔いのない生き方につながると思います。

自分らしい生き方を作っていく

水辺に連れて行かれても、その馬にその気がなければ、水を飲むことはない。

ジョン・デューイ（19～20世紀／アメリカ）

目の前に、成功のチャンスがあったとします。手を伸ばせば、そのチャンスを掴み取ることができるのです。しかし、「その気」がなければ、その人は成功のチャンスを掴み取るための行動を起こすことはないでしょう。

つまり人間は、成功したい、自分は成功できる、という気持ちを持っておくことが大切なのです。

成功するという「その気」がない人は、成功のチャンスがあっても、そのチャンスを逃し、満足感や充実感とは無縁の人生を送っていくことになるのです。

そうならないためには、いつも、成功するという「その気」を持って生きていくことです。

この言葉に出てくる「馬」は、その気のない人間の比喩です。

その気のない馬は、せっかく目の前に水があっても、それを飲まないように、その気のない人間は、目の前に成功のチャンスがあっても、それを掴み取ろうともしない、ということを指摘しています。

まずは、その気になるということが、強い行動力を生み出す原動力になるのです。

冷めた気持ちで生きていくのではなく、「成功する」「大きなことを成し遂げる」という気になって生きていけば、成功のチャンスを得られるでしょう。

その気がなければ成功はできない

人間は義務を果たすために生きている。しかし、その義務は、誰かに強要されて行うものではない。

カント（18～19世紀／ドイツ）

仕事を「義務」と感じている人も多いと思います。

それは、家族を支え、上司や取引先の期待に応え、そして、自分の社会的な責任を果たしていくための「義務」です。

主婦もまた、家事や子育てを、家族のために行う「義務」だと考えている人が大多数だと思います。

しかしカントは、「その義務は、誰かに強要されて行うものではない」と指摘しています。

言い換えれば、**仕事や家事は「義務」ではあっても、自分の創意工夫によって創造的に行っていくことが大切**だということを意味しているのです。

つまり、人から「ああしろ」「こうしなさい」と言われることだけをやっていればいい、ということではないのです。それでは、生きていて面白くないでしょう。

義務としてやるべきことであっても、自分なりのアイディアを生かしたり、自分にしかできない個性を発揮して、創造的に行ってこそ、生きる喜びを感じられるのです。

そうした創造があってこそ、自分らしい人生を実現できるのです。

そのように自分らしさを創造していくことができれば、義務としてやっていることを苦にすることなく、むしろ、喜びを感じられるでしょう。

義務とは自分で創造していくもの

時間は、最大の改革者である。

フランシス・ベーコン（16〜17世紀／イギリス）

「機が熟す」という言葉があります。「物事が成就するのに、ちょうどいい時期がやって来る」という意味です。

ある夢を果たすために、一生懸命にがんばっていたとします。

しかし、いくら努力しても、なかなか夢は叶えられません。

そこで、夢を実現させることをあきらめてしまう人もいるでしょう。

しかし、それは単に「まだ機が熟していない」という理由なのかもしれません。

つまり、**努力を続けていけば必ず、機が熟すときがやって来る**のです。

夢が叶い、生きていることの喜びを存分に味わうことができるときがやって来ます。

人生には、このように時間が経過することによって状況が一変し、視界がパッと開けて、明るい希望が見えてくる瞬間がやって来ることがあります。

そのような現象を、ベーコンは「時間は最大の改革者である」という言葉で表現したのです。

ですから、そんなすべてが一変する、すばらしいときがやって来るまでは、あきらめることなく、平常心で、コツコツ努力を続けていくほうがいいと思います。

努力を続けられる人のもとに、「機が熟すとき」はやって来ます。

努力をやめてしまったら、すばらしいときはやって来ません。

機が熟すときまで努力をやめない

人間のすべての感情の中で、嫉妬はもっとも醜(みにく)いもの、虚栄心はもっとも危険なものである。心の中のこの二匹のヘビから逃れることは、すばらしく楽しく幸せなことである。

カール・ヒルティ（19～20世紀／スイス）

人の心を乱し、大きな悩みをもたらし、その人を不幸にしてしまう感情があります。それは「嫉妬心」と「虚栄心」です。

たとえば、自分よりも活躍している人を見て、「あの人のことが羨ましい」

と、強い嫉妬を感じたとします。すると、その人よりも劣り、その人には敵わない自分自身がどんどん惨めに思えてきます。強い自己嫌悪を感じるようになり、悩み、苦しまなければならなくなるのです。

また、たとえば「周りの人たちによく思われたい」という強い虚栄心を抱いたとします。

そのために無理をして背伸びをしたり、ときには自分をよく見せるためにウソをついたりしてしまいます。

その結果、**背伸びをして生きていくことに疲れ果て、いつかウソがばれてしまうのではないかとビクビクしながら生きることになります。**

そんな生き方が幸せであるはずはありません。

ですから、嫉妬心や虚栄心といった感情を捨て去って、ありのままの自分として自然に生きていくことが、もっとも幸せなことなのです。

嫉妬や虚栄心を捨ててありのまま生きる

人間は、自分が他人よりも劣っているのは、運のせいだと思いたがるものだ。

プルタルコス（1〜2世紀／古代ギリシャ）

自分よりもすぐれた能力を持ち、また深い知識を有し、人間性においても秀でている人に出会うことは、幸福なことです。

なぜなら、その「すぐれた人」から多くのことを学び取ることができるからです。

そして、学び取ったことを糧（かて）にして、自分も大きく成長できるのです。

しかし、自分よりもすぐれた人に出会ったとき、「あの人がすぐれているのは、ただ、その人の運がよく、学ぶ場をたくさん得ることができたからにすぎない」と、ふてくされて考えてしまう人がいます。

そして、「それに比べて、私があの人よりも劣っているのは、ただ、自分が運が悪く、活躍の場を得られなかったからだ」と、悔し紛れに考えてしまうのです。

このようにして、**単に運のせいにしていると、すぐれた人から学ぼうという意欲が薄れてしまうので、注意しなければなりません。**

運のせいだと考えてしまう人は、本当は、「あの人は自分よりすぐれている」「自分はあの人よりも劣っている」ということを認めたくないのでしょう。

運がいいも悪いもないのです。

あの人は自分よりもすぐれているという現実を素直に受け入れて、多くのことを学んだほうが得策です。

自分よりもすぐれた人から素直に学ぶ

この世で幸せに生きるためには、バカであるかのように見せながら、実際には、利口であることが大切だ。

モンテスキュー（17〜18世紀／フランス）

モンテスキューは、他人に対してバカであるかのように見せよ、と述べています。

言い換えれば、「利口ぶって振る舞ってはいけない」と指摘しているのです。

いかにも、「自分はすごい教養人です」「頭がとてもよく、何でも知っています」と、利口ぶった態度で人に接する人がいます。

そのような態度を見せることで、人から尊敬されたいと願っているのかもしれません。

しかし実際には、そんな願いとは裏腹に、相手から反感を持たれてしまう場合も多いのです。

利口ぶっている人に対して、相手は「上から目線だ」「偉そうだ」という悪い印象を抱いてしまうからです。

そういう意味では、**むしろ「バカであるかのように見せる」ほうが、相手に安心感と親しみやすさを感じさせる**のでしょう。

また、「自分は何も知りません」「教えてください」という謙虚な態度を見せて人とつき合っていくほうが、人から学ぶ機会も多く得られます。

そのほうが自分にとっては勉強になりますし、また、それが自分の成長にもつながります。

モンテスキューは、「そのほうが利口である」と指摘しているのです。

利口ぶった態度は周りの人から嫌われる

共感というものは、それをかき立てる相手の境遇を考慮することによって起こる。

アダム・スミス（18世紀／イギリス）

よい人間関係を築き、多くの人と仲よくつき合っていくためには、「相手の気持ちに共感する」という能力を持っておくことが、とても重要になります。

身近にいる人が悲しい思いやつらい思いをしているときに、その思いに共感する能力です。

そのような共感する能力があってこそ、つらい思いをしている人に、やさしい言葉をかけてあげることができます。

悲しい思いをしている人を励ますこともできるのです。

そして、やさしい言葉をかけたり、励ますことによって、相手との信頼関係は深まっていきます。

この「共感する能力」がない人は、たとえば失恋してつらく悲しい思いをしている人に、「あなたは性格が悪いから失恋しちゃうのよ」といった心ない言葉をかけてしまいがちです。

そして、そんな心ない言葉のために、人間関係が壊れてしまうのです。

ですから、共感する能力はとても大切です。

では、どのようにすれば相手の気持ちに共感することができるのかと言えば、それは、「相手の境遇を考慮する」ということでしょう。

今、相手はどのような状況に立たされ、どのような思いをしているかということを、相手の立場になって考えることが大切です。

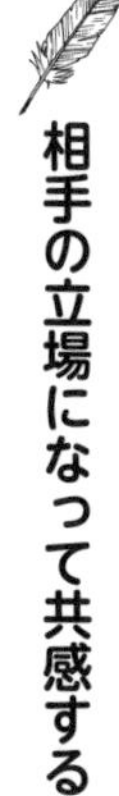

相手の立場になって共感する

よき友人とは、自分以外の自己を言う。

ゼノン（紀元前4〜3世紀／古代ギリシャ）

一生を通してつき合っていけるようなよき友人を持つことは、人にとって非常に幸せなことだと思います。

しかし、「友人ができても長続きしない」「半年くらい経つと、まったく連絡を取り合わない関係になってしまう」という人もいます。

そんな友人との関係が長続きしない人は、もしかしたら、相手を思いやる気持ちが十分でないのかもしれません。

お互いに友情を保っていくために大切なのは、相手を思いやる気持ちを持つということです。

友人が困っているときには手助けをしたり、悩んでいるときには励ましたり、慰めたりする「思いやりの気持ち」です。

そのような思いやりがないと、友情はどうしても長続きしません。

相手を思いやる気持ちというのは、「その友人が経験していることを、自分が経験しているように感じ、友人の気持ちを想像してみる」ということなのです。

そうすれば、友人が困っているのか、つらい思いをしているのか、悩んでいるのか、といったことがわかります。

気持ちがわかれば、自然に、やさしい思いやりの気持ちで接することができます。

「友人が経験していることを、自分が経験しているように感じる」ということを、ゼノンは、「よき友人とは、自分以外の自己」と表現したのです。

友人に起きたことを我がことのように思う

私たちは、生きている間は死んではいない。死んでしまった後は、もはや、生きてはいない。

エピクロス（紀元前4〜3世紀／古代ギリシャ）

エピクロスの打ち立てた哲学は、「快楽主義」とも呼ばれています。

これは、「生きている間はとにかく、快いことをして、人生を大いに楽しむことが大切だ」ということを説く哲学です。

言い換えれば、「悩んでもしょうがないことで悩んだり、苦しんでも意味がないことで苦しんだりしてはいけない」ということを意味しています。

そして、「悩んでもしょうがないことで悩むこと」の最大のものは、「死ぬことへの不安」だと、エピクロスは考えたのです。

死は、人間の運命です。人は誰でも死にます。そのために人間は、往々にして、生きているときから、自分が死ぬということに恐怖心を抱いたり、死ぬことを不安に思ったりします。

「しかし、死におびえることは意味がない」と、エピクロスは考えました。

そして、「生きている間は、人間は死んではいないのだから、生きていることを大いに楽しむのがいい」と主張したのです。

また、「死んでしまった後は、もはや生きてはいないのだから、死んだ後のことを不安に思ってもしょうがない」と教えたのです。

つまり、**「自分が死ぬことをあれこれ考えるよりも、今生きているこの人生を快いものにすることが大切だ」**と、エピクロスは言いたかったのでしょう。

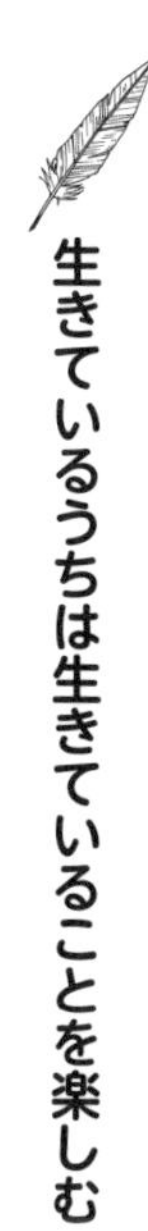

生きているうちは生きていることを楽しむ

心にもない言葉よりも、沈黙しているほうが、むしろどのくらい人間関係を損なわずに済むものか。

モンテスキュー（17〜18世紀／フランス）

心にもない言葉で、友人や恋人、あるいはパートナーの心を傷つけてしまうことがあります。その人にすれば、あまり気にしないで言った言葉なのでしょうが、相手は深く傷ついてしまうのです。

そして、そんな心にもない言葉が引き金になって、両者の人間関係が壊れてしまうことさえあります。

そういう意味で、人に話しかけるときの「言葉」には注意する必要があると思います。

もちろん友人や恋人やパートナーとの関係では、くつろいだ話し方をすることも大切です。

あまり堅苦しい話し方では、お互いに愛情が深まっていくことはないでしょう。

しかし、不用意に相手の心を傷つけるようなことを言わないように注意しておくことが大切です。

そんな、ひどい言葉を口にしてしまうくらいなら、モンテスキューが、指摘しているように、**「沈黙している」ほうがずっと賢明**なのです。

それが相手との愛情ある関係を壊さないで済むコツです。大切な人を失わないために大切な心得の一つなのです。

相手の心を傷つけるような言葉が出そうになったら、「自分が言われたらどう思うか」を想像しましょう。「沈黙する」ための方法の一つとなります。

ひどい言葉を口にする前に一旦考えてみる

時に敵のほうが正しい場合もある。だというのに、人間は生まれつき利己的であって、正しいことを言われているのに、自分への侮辱だと感じてしまう。

カール・ヒルティ（19～20世紀／スイス）

たとえば、会社の会議で、ある人が仕事の提案をしたとします。

しかし、その提案に対して、普段仕事のライバルとして敵視しているような相手から、「あなたの提案には問題があります」と指摘されてしまったとしたら、どうでしょう。

そんなときは往々にして、「まったく根拠がないことで、自分を侮辱された」と感じてしまうものです。

特に、普段激しく競い合って敵視しているような相手から非難されるようなことを言われると、一層腹立たしく感じるでしょう。

しかし、よく考えてみれば、相手の指摘は、まったく根拠がないことではなく、むしろ正しいことだとわかることもよくあるのです。

正しいことを指摘されたのにもかかわらず、「これは侮辱だ」と腹を立てて、相手の言葉を真剣に受け取らないのであれば、結局は、自分自身が損をすることになります。

そういう意味では、**たとえ仕事のライバルであっても、無闇に相手を敵視するのではなく、素直な気持ちで相手の言葉に耳を傾け、また、謙虚に相手から学ぼうという気持ちでいることが大切**だと思います。

それが結局、自分の成長につながります。
そして、よりよい仕事をして、大活躍することにもなるのです。
ですから、人を無闇に敵視するのはやめることです。

無闇に人を敵視してはいけない

ありのままで幸せになるヒント⑭

常に、ただ今日やるべきことのみに働く習慣を作るのがよい。明日はひとりでにやって来る。そして、それとともに新しい明日の「生きる力」もまた来るのである。

カール・ヒルティ（19～20世紀／スイス）

明日のことを、あれこれ心配してもしょうがありません。
未来に何が起こるかを不安に思っていても、どうにもならないのです。

むしろ、今努力すべきことが疎かになってしまうだけでしょう。

そういう意味では、先々のことを心配したり不安に思うよりも、「ただ今日やるべきことのみに働く習慣を作る」ということが大切です。

今日やるべきことに全力を尽くして努力しましょう。

そうすれば、明日になったとき、自然に「生きる力」がわいてきます。

明日という日に、どんな困難が待ち受けていたとしても、自然にわき出してくる「生きる力」によってはね返すことができるのです。


「今日やるべきことに全力を尽くす」ということを日々のモットーにして生きている人は、日々「生きる力」を生み出していくことができます。

言い換えれば、**将来のことをあれこれ心配したり不安に思っている人は、日々の生活の中で「生きる力」を生み出していくことができません。**

不安や心配は心をマイナスの状態にしてしまうので、ポジティブな活力は生み出されてこないのです。

そういう意味でも、一日一日の生活を大切にして、今日という日に全力を出して生きていくことが重要です。

それができる人は、力強いパワーを発揮できます。

今日やるべきことに全力を尽くす

人間とは、社会的な動物である。

セネカ（紀元前1～紀元1世紀／古代ローマ）

人間は、社会から孤立した状態では生きてはいけません。多くのことで社会と関わっていってこそ、幸せに生きていくことができるのです。

そういう意味では、「人間とは、社会的な動物である」と言えるのでしょう。**積極的に社会と関わっていく意識を持つことが、自己実現を果たし、充実した人生を送っていくために大切**なのです。

人間は社会に出て、積極的に色々なことを経験し、様々なことを学んでいくのです。

その具体的な方法は、いくつかあります。

たとえば、ボランティア活動に参加することも、その一つです。

自分が暮らしている地域の活動に参加してもいいでしょう。

あるいは、何か自分で勉強会を立ち上げて、参加者を募るということも、社会に関わるということになります。

また、仕事関係の人ばかりとつき合うのではなく、他の人たちとの交友の輪を広げていくことも大切だと思います。

そのようにして、社会との関わり方を広げていくことで、その人自身の人間性も広がっていきます。

すると、見識が広がって、人間として大きく成長できるのです。

その結果、充実した、楽しい人生を実現できるでしょう。

人は社会と関わることで人間的に成長できる

論じるべきことは、はっきりと語る。論じてもしょうがないことには、沈黙しなければならない。

ヴィトゲンシュタイン（19～20世紀／イギリス）

もしそれが「論じるべきこと」であるならば、はっきりと言葉に出して大いに語るのがいいでしょう。

たとえば、「この会社をもっと働きやすくするには、どうしたらいいか」ということを論じるときです。

そのような論じるべきことを話し合うときには、自分が考えていることを大いに語るのがいいのです。

論じるべきことを色々な人と語り合うことは、ひいては自分の考えを深めていくことにもつながります。

しかし、一方で、論じてもしょうがないこともあります。

たとえば、「あの人が悪いから、この会社はよくならない」といった話です。

このようなことを語り合うと、往々にして、ある特定の社員の悪口を言うだけで終わってしまうのです。

しかし、誰かをやり玉にあげて悪口を言ったところで、会社はよいものにはなっていかないでしょう。

ですから、そのようなことは結局、論じてもしょうがないことなのです。

むしろ、**その場が人の悪口合戦になりそうなときは、「沈黙」しているほうが得策**です。

沈黙している限り、悪口合戦に巻き込まれてしまう心配はないからです。

論じるべきことは論じて悪口には沈黙する

世間なんてなくても、自分はやっていけると考えている人は、ひどく自分をだましている人間である。

ラ・ロシュフーコー（17世紀／フランス）

自分が今生活の場を置いている「世間」のことを、とかく悪く言う人がいます。

「世間なんて嘘偽りだらけだ」「この世間には、悪い人間ばかりいる」「しょせん世間なんて信用ならない」といったようにです。

そのように世間を悪く言う人は、もしかしたら「自分は世間に頼らなくても、自分一人の力で生きていける」と考えているのかもしれません。

しかし、そのような人は、少し自信過剰であり、「ひどく自分をだましている人間である」と、ロシュフーコーは指摘しています。

というのも、とかく世間を悪く言う人であっても、やはり、世間がなければ生きていけないからです。

その人も、やはり、世間から仕事を得て、世間で活動することで収入を得ているのです。

何か窮地に陥ったり、病気になったりすることがあれば、世間から助けてもらうことも多いのです。

人は結局、世間なしには生きていけない存在なのでしょう。

ならば、**世間を悪く言うのではなく、世間の人たちのいいところを見つけて、肯定的に生きていくほうが賢明**なのです。

人は世間なしには生きていけない

4章

困難が続いているとき

～現実を乗り越えるヒント

すべての偉大なものは、稀であるとともに、困難である。

スピノザ（17世紀／オランダ）

偉大なことを成し遂げる人は稀であり、そう多くはありません。

それは、なぜでしょうか？

当たり前に聞こえるかもしれませんが、偉大なことを成し遂げることは、「困難である」からだと思います。

偉大なことは、簡単には成し遂げられないのです。

偉大なことを成し遂げるためには、長い時間が必要になりますし、また、その長い時間をかけて多くの努力をしていかなければなりません。

言い換えれば、**あきらめたり、飽きることなく、日々コツコツと努力を積み重ねていくことが大切**なのです。

そのような努力を持続的にできる人が、偉大なことを成し遂げることができます。

「偉大なことを成し遂げて、偉大な人間になりたい」という願望を抱く人はたくさんいます。

しかしながら、残念なことに、この持続的な努力をコツコツと続けていける人は少ないのです。

何事もそうですが、「あきらめない」「飽きない」ということが重要です。

努力を続けていく途中に、様々な困難にぶつかることもあるでしょうが、「あきらめない」「飽きない」ということをモットーにして努力を続けていけば、必ず偉大なことを成し遂げられると思います。

飽きずにあきらめないことをモットーに努力し続ける

人間は、自分自身の思い通りの「自分の歴史」を作っていく。だが、それは、思うようにならない環境の中で作っていくのだ。

カール・マルクス（19世紀／ドイツ）

自分が生きる「環境」は、自分の思うままにならない場合がよくあります。たとえば、会社では、「もっと働きやすい環境だったらいいのに。今の会社の環境は、私の望みからはほど遠い」などと不満をもらす人もいるでしょう。とはいえ、簡単に、会社を辞めるわけにはいきません。

また、今暮らしている家について、「もっと暮らしやすい環境がほしい」と思っていたとしても、すぐに引っ越すわけにもいかないでしょう。

そういう意味で、多くの場合、自分たちが身を置く「環境」は、自分の思いのままにならないことも多いのです。

言い換えれば、そんな思いのままにならない環境の中で、人は自分の思い通りの「人生」を作っていこうと努力します。

もちろん、思いのままにならない環境の中で、思い通りの人生を作っていくことは簡単ではありません。

障害や困難にぶつかって、たくさんの苦労もしなければならなくなります。

しかし、それこそが人生だとも言えるのです。

偉大な人は、誰もが、この思いのままにならない環境と闘って、思い通りの人生を作っていったのです。

思い通りにならない環境で思い通りの人生を作る

己に打ち克って努力することは、勝利のうちで、もっとも偉大なことである。

プラトン（紀元前5～4世紀／古代ギリシャ）

人間の心は、それほど強いものではありません。ときに、「怠けたい」「楽をしたい」「逃げ出したい」といった衝動を抑えられなくなることもあるからです。

しかし、そこが、夢を叶えられるかどうか、成功できるかどうかの「分かれ目」なのではないでしょうか。

そこで**「怠けたい」という衝動に打ち克って、努力を続けられる人は、偉大**

なものを手にすることができます。

夢と成功を手に入れて、幸せに生きていけるのです。

そこで、その衝動に負けてしまったら、大きなことは何も成し遂げられないで終わってしまいます。

そんな衝動に打ち克つとは、言い換えれば、哲学者のプラトンが言う「己に打ち克つ」ということです。

この「己に打ち克つ」ということが、人生ではもっとも難しいのです。

だからこそ、その衝動に、つまり己に打ち克つことができれば、「人生の勝利者」になれるのです。

自分の怠けたい衝動に打ち克つことこそ難しい

神の見えざる手に導かれて、人は自分では思ってもみなかった目的を達成することがある。

アダム・スミス（18世紀／イギリス）

人間には、思いがけないきっかけで、思ってもみなかった幸運を得ることがあります。

ある人が友人に誘われて、パーティに出席しました。

本当は、そのパーティに参加したくはなかったのですが、仲のいい親友からのせっかくの誘いだったので、参加したのです。

すると、そのパーティで運命的な出会いがあって、その人は出会った相手と結婚することになったのです。

これは一例ですが、人生にはこのように、思いがけないきっかけで、思ってもみなかった幸運を得るということがあるのです。

アダム・スミスは、このような現象を、「神の見えざる手に導かれる」という言葉で表現しました。

そのような「神の見えざる手に導かれる」ということも、幸運な出来事を引き寄せるための方法の一つになるのです。

では、どうすれば、この「神の見えざる手に導かれる」ことができるのかと言えば、その方法の一つに、**「信頼できる人から誘われたときには、行ってみる」**ということが挙げられます。

他人の誘いに乗ることで、思いもかけなかった幸運を引き寄せられるということが、人生にはあるのです。

思いがけないきっかけにより幸運は導かれる

生きる喜びは、自分でよく考え、自分で苦労して経験することからしか、生まれない。

カール・ヒルティ（19～20世紀／スイス）

苦労は多くても、自分の力で成し遂げるほうが、喜びが大きいものです。
たとえば、「山登り」を例にして考えてみます。
テレビでやっている登山番組を見たとします。
タレントが登山にチャレンジし、頂上に立ちます。
自分は、それをテレビを通して見ているのです。
テレビで見るのも楽しいですし、テレビに映る頂上からの景色を見ていても確かに感動はするでしょう。

しかし、やはり、自分の足で苦労して山を登っていき、そして、自分の目で実際に頂上からの景色を見るほうが、何倍も大きな感動を得られると思います。

登山と同じように、**大きな「生きる喜び」を得たいのであれば、何であれ、自分で苦労して経験していくほうがいい**と思います。

その苦労が多くても、自分で経験したことであれば、いい勉強になりますし、また、達成したときの喜びも大きいのです。

したがって、苦労することが予想されるようなことであっても、まずは、自分で経験していくように心がけていくほうがいいでしょう。

どんなに大変だと思われるようなことであっても、自分で進んで経験していくのです。

そうすれば、自分の人生は、喜びに満ちたものになります。

大変なことも進んで経験すると喜びを得られる

困難な状況にあるとき、人は初めて「真の友」を知る。

キケロ（紀元前2～1世紀／古代ローマ）

困難な状況を経験するということは、決して悪いことではありません。

それにはいいこともあるのです。

その一つは、真の友を知るということでしょう。

困難な状況にあるとき、「自分まで巻き込まれたくない」とばかりに、困難な状況にある人のもとから離れていく友人たちもいるかもしれません。

しかし、そんな状況にあるときでも、その人のもとから離れず、相談に乗ってくれたり、力を貸してくれる友人もいます。

そのように**困っているときに助けてくれる人ほど、「真の友」**なのです。

心から信頼でき、また、本当の意味で頼りにできる真の友です。

自分にとっていったい誰が、真の友なのかがわかるという意味では、困難な状況を経験することも悪くないでしょう。

そして、誰が自分にとっての真の友かがわかれば、今後の人生も心細くなることなく、自信を持って生きていけるでしょう。

「もし、また困ったことがあっても、この友人が身近にいてくれる」とわかれば、気持ちも安らぎます。

将来的にも、困難な状況に直面することを怖れないで済むようになるのです。

そう考えれば、困難な状況をネガティブに考えてしまう必要はないのです。

本当の友人がいれば未来の困難も怖くはない

これは不運ではない。この不運を気高く耐えていくことは、幸運である。

マルクス・アウレリウス（2世紀／古代ローマ）

人生には「運」がつきものです。

幸運に恵まれることもあれば、不運な出来事に見舞われるときもあります。

幸運に恵まれているときは、何をやっていても楽しく、問題はありません。

問題は、「もし不運な出来事に見舞われてしまったとき、どう考えるか」という点にあると思います。

不運な出来事があったときは、もちろん、多くの人たちは嘆いたり、落ち込んだり、悩んだりします。

しかし、自分の不運を嘆いているだけでは、今後の人生は好転していかないのです。むしろ、ますます不運な人生へと陥っていくばかりでしょう。

ここでは「発想の転換」が必要になると思います。

たとえ**不運な経験をしたとしても、楽天的に、「この経験のおかげで、色々な勉強ができる」「不運な出来事のおかげで、精神的に強くなれる」と発想の転換をしてみる**のです。

そうすれば、その不運を苦痛に思うことはなくなります。

前向きな気持ちで、積極的に、今後の人生を切り開いていくことができます。

また、その不運を「気高く耐えていく」こともできます。

不運な出来事を経験することは「自分にとっては幸運だった」と考え直すこともできるのです。

不運なこともとらえ方しだいで幸運に変わる

困難の中にあって活動しているとき、休息することはいいが、怠けることは「死」を意味する。

ボルテール（17〜18世紀／フランス）

人間にとって「休息する」ということは、とても大切です。

休息してこそ、新たな活力を取り戻すことができます。

特に、困難な状況にあって、そこから抜け出そうと、もがき苦しんでいるときこそ、休息することが大切になります。

というのも、困難な状況にあるときは、休息することも忘れて、がんばりすぎてしまう人もいるからです。

しかし、適度な休息を取らないと、心身ともに消耗していくばかりです。

疲れ切った体と心では、その困難な状況から抜け出すことなど不可能になってしまうでしょう。

ですから、休息することは大事なのです。

ただし、**「休息する」ということと、「怠ける」ということは違います。**

怠けるということは、すべての努力を放棄してしまうことです。

ですから、怠けてしまったら、そこでもう終わりなのです。

夢を叶えることも、成功を手にすることも、できなくなってしまうでしょう。

怠けて努力を放棄するということは、自分自身の人生を投げ捨ててしまうことと同じです。

「休息するのは必要だが、怠けることはダメ」と、ボルテールは指摘しています。

困難を乗り越えるためには休息も必要である

高く登ろうと思うなら、自分の足を使って登らなければならない。高いところへは、他人によって運ばれて行ってはならない。人の背中に乗っかって行ってはいけない。

フリードリヒ・ニーチェ（19世紀／ドイツ）

高い理想を実現しようと思うのであれば、どんなに苦労が多くても、自分の力で努力していくことが大切です。

人によっては、その苦労に堪えられなくなり、「人の背中に乗っかって行こう」などと考えることがあるかもしれません。

つまり、自分はこれといった努力はせずに、後は他人任せにしてしまうのです。場合によっては、すべてを他人に頼って、成果だけをちゃっかりと自分のものにしようという人もいるかもしれません。しかし、**それでは、理想を実現したという満足感は生まれません。自分への自信も生まれないでしょう。**

それどころか、他人に頼ってばかりいる様子を周りから見ていた人たちから、「あの人は努力しない」「あの人はずるい」などと言われるかもしれません。

そうなれば、一層、自分への自信を失っていくことになるでしょう。そうならないためにも、高く登ろうと思うなら、自分の足を使って登ることです。

たとえば、明治維新の英雄である坂本龍馬や西郷隆盛も、他人に頼らずに、自分の力で困難を乗り越え、自分自身で苦労し、高い山を登り切った人だったと思います。

他人に頼るのではなく自分の力で乗り越える

重要なことは、何を耐え忍んだかではなく、どのように耐え忍んだかである。

セネカ（紀元前1～紀元1世紀／古代ローマ）

古代ローマの哲学者であるセネカは、この言葉で、「困難な状況を、どのように耐え忍んでいくかが大切だ」と指摘しました。

＊困難な状況でも、弱音を言わない。希望のある言葉を口にする。
＊困難な状況でも、グチを言わない。何をすればいいかを考える。
＊困難な状況でも、誰かのせいにしない。自分の力を信じる。
＊困難な状況でも、暗い顔をしない。明るい表情をしている。

＊困難な状況でも、自信を失わない。あくまでも自分の力を信じる。
＊困難な状況でも、投げ出さない。忍耐強くがんばっていく。

具体的に言えば、このような態度で困難な状況を耐えていくことができる人は、すぐれた人間性を持った人と言えるのです。

ですから、その人は、多くの人から尊敬され、愛されます。

そのような意味で、困難な状況に「どのような態度で臨んでいくか」ということは、とても重要なのです。

「弱音を言いながら、グチを言いながら、耐えていく」というのはよくありません。

そういう態度を見せていると、たとえ、その困難を乗り越えることができたとしても、周囲からはあまり評価されないかもしれません。

あくまでもポジティブな態度で耐えていくほうがいいのです。

ポジティブに耐えていく

うまくいっているときには、謙虚でいることが、その人の美徳になる。困難な状況にあるときは、忍耐強くあることが、その人の美徳になる。

フランシス・ベーコン（16〜17世紀／イギリス）

尊敬され、慕われる人になるためには、二つの条件があります。

一つは、「物事が順調に運んでいるときであっても、おごらず、謙虚な態度でいる」ということ。

うまくいっているからと言って、偉そうな態度をしたり、自慢をしたりするということはしないほうがいいのです。

そしてもう一つは、「困難な状況にあるときは、あきらめず、投げ出さず、忍耐強く努力し続ける」ということです。

そのような「忍耐強い人」も、多くの人たちから尊敬されます。

困難な状況で努力し続けるということは、誰にとってもつらいことです。

ともすると、「もうダメじゃないか。この状況を打開できないのではないか」と、ネガティブな気持ちになってしまいがちです。

そして、いったんネガティブな気持ちにとらわれてしまうと、悪いほうへ悪いほうへと考え方が傾いていってしまうのです。

そこで、気持ちをしっかり持って忍耐強くがんばっていける人は、それだけで称賛される価値のある人なのでしょう。

そんな**忍耐力を、謙虚さとともに兼ね備えた人になれるよう、日頃から努力を積み重ねていく**ことが、いい生き方につながります。

好調なときの謙虚さと不調なときの忍耐強さ

真の苦労とは人目につかない苦労である。人に自慢するような苦労は、虚栄心さえあれば誰にでもできる。

ラ・ロシュフーコー（17世紀／フランス）

「自分は、こんなに苦労をしてきた。今も苦労している」といったことを、さも自慢げに話す人がいます。

しかし、そんな「苦労を自慢する人」は、あまり信用できません。人の苦労話というものは、とかく「口だけ」という場合もあるからです。

実際には、それほど苦労をしていないのに、「すごい」と思われたいがために、大げさに「こんなに苦労している」という話し方をするのです。

つまり、単なる「虚栄心」にすぎないのです。

本当に苦労している人は、人目につかないところで、人知れず苦労しているものなのではないでしょうか。

アメリカの大リーグで成功した、ある日本人の野球選手は、マスコミなどの取材を受ける際、自分が練習で苦労している姿を人に見せることはなかったといいます。

それというのも、彼には、「もちろん苦労して練習しなければ、いい成績を残せないが、苦労している姿を見せるのはプロではない。プロは活躍している姿を見せるものだ」という信念があったからなのです。

そういう考え方を実践できる人こそ、本当の意味での「プロ」ではないかと思います。

苦労話を語らない人のほうが信頼される

その年齢にふさわしい知恵を持たない者は、生きることについて困難を抱えることになる。

ボルテール（17〜18世紀／フランス）

一般的に、人は、年齢を重ねていくにしたがって、知恵が深まっていきます。色々なことを経験し、多くのことを学び、人間的に成長するにつれて、深い知恵が身についていくのです。

ですから、年齢を重ねた知恵のある賢者は、周りの人たちから頼りにされ、尊敬もされるのです。

しかし、そんなふうにして人間的に成長する努力をしなかったら、どうなってしまうでしょうか。

色々なことを経験したり、多くのことを学んでいくことなく、年齢を積み重ねていってしまったら、どうなるでしょうか。その人は、「その年齢にふさわしい知恵」を持てなくなってしまうことになるのです。

そのために、周りの人たちから、「あの人は、年齢がいっている割には、何事も知らない」などと軽蔑されてしまうことになります。

周りの人たちから、そんなふうに悪く思われることは、その本人にとってもつらいことだと思います。

そうならないためにも、**年齢にふさわしい知恵を持てるように、普段から様々なことを経験し、学ぶことが大切**です。

何歳になっても自分を成長させる努力を続けましょう。

経験と学びによって知恵をつけよ

この世の中で活躍し続けるには、力を尽くして、死ぬまで剣を手から離さないことだ。

ボルテール（17～18世紀／フランス）

「力を尽くして、死ぬまで剣を手から離さない」とは、物騒（ぶっそう）な表現ですが、これは、「闘志を持って努力し続けること」の比喩です。

そのように闘志を持って努力し続ければ、「この世の中で活躍し続ける」ことができる、という意味なのです。

「ハングリー精神」という言葉があります。

「現状を打破して、よりよい、幸せな生活を手に入れたいと願う、強い意志」

を意味する言葉です。

言い換えれば、そんなハングリー精神を持ち続けることが大切だということなのでしょう。

成功したからといって、その現状に満足しきって、そこで立ち止まってしまっては、成長がストップしてしまいます。

さらなる成功、さらなる飛躍をめざして、「やってやるぞ」という闘志を持って努力し続けていくことが重要なのです。

そうすれば、一生を通して充実した生き方を実践できるでしょう。

さらなるいい生活をめざして闘っている限り、その人は充実した気持ちでいられるのです。

現状に満足するのではなく闘い続ける

人間は、解決すべき障害、
克服すべき困難がなければ、
真剣に考えることはない。
安楽な生活、
何の努力もしなくていい生活は、
真剣に考える必要もなく
その人を堕落させるだけだろう。

ジョン・デューイ（19～20世紀／アメリカ）

人生の途上では、仕事でもプライベートでも、様々な障害や困難に出合うことがあるでしょう。

そのときは、悩んだり、落ち込んだりすることもあると思います。

しかし、障害や困難に出合うことを、あまりネガティブに考える必要はありません。

実はその人にとっていいこともあるからです。

障害や困難に出合ったとき、その人は、「この難しい問題を克服し乗り越えていくためには、どうすればいいのか」と真剣に考えます。

そのような**「真剣に考える」という経験をすることが、その人にたくさんの有益な知識をもたらす**のです。

そして、その人を賢くしていきます。

もし、何一つ障害や困難に出合うことなく、安楽な生活、何の努力もしなくていい生活をしていたら、その人はどうなってしまうでしょうか。

仕事や人生について真剣に考える機会はなく、人間的に堕落していってしまうかもしれません。

人間は、障害や困難を経験するほうが成長できるのです。

立ちはだかる障害が人を賢くする

5章

さらに高みをめざしたいとき

～自分を磨くヒント

世の中には、たくさんの格言がある。
しかし、その格言を自分の人生に適用し、
そして実践するために
努力できる人は少ない。

パスカル（17世紀／フランス）

世の中には、たくさんの「格言」が存在します。

また、その格言の一つ一つは、「どうすれば幸せになれるか」「いかにすれば夢を実現できるか」という人生の大切な法則を教えてくれます。

しかし、ためになる格言をたくさん知っていながら、単なる知識として取っておくだけの人もいます。

つまり、その**格言を自分の人生に当てはめて、生かせるように努力する人は少ない**のです。

それでは、いわば「宝の持ち腐れ」ということになるのではないでしょうか。

いい格言は、自分の人生のために活用してこそ意味があります。

その格言を自分の人生に役立てるように努力するほうが得策です。

もちろん、世の多くの格言は、天才や偉人が言った言葉ですから、すぐに自分の人生には適用できないかもしれません。

しかし、100パーセント適用することは無理であっても、少しでも役立てようと努力してみる価値はあるでしょう。

もし、少しでも役立つ部分があれば、その分だけ自分が成長します。その分だけ、賢くなることができるものです。

格言を少しでも自分の人生に役立ててみる

すべての人間は、生まれつき、知ることを欲する。

アリストテレス（紀元前4世紀／古代ギリシャ）

今、学び直しをする人が増えていると言います。

若い頃に大学や高校を卒業した人が、五十歳を過ぎてから、「もう一度学びたい。知識や教養を深めたい」という知的欲求にかられて、大学や大学院などで学ぶ機会を得るのです。

それは、とてもよいことだと思います。

何かを学ぶということは、それ自体、生きることの大きな喜びの一つになります。つまり、学び直しをする人は、自分の人生の後半生をポジティブに切り開いていけるのです。

アリストテレスは、「すべての人間は、生まれつき、知ることを欲する」と述べました。

すなわち、**学ぶことによって新しい知識を得たいと思うことは、人間が持つ自然な本能**なのです。

この知識欲という本能は、その人が何歳になっても衰えていくことはないでしょう。

したがって、たとえ中高年と呼ばれる年齢になったとしても、その知識欲という本能にしたがって、学ぶ機会を持ったほうがいいのです。

たとえ大学や大学院へ行かなくても、本を読んだり、講演会に行ったり、テレビの教養番組を見たり、学ぶ方法はたくさんあると思います。

何歳になっても知識欲にしたがって学ぶ

何かを学ぶために書物を買い求めることは、とてもいいことである。ただし、ついでに、その書物を読む時間も買い求めることができれば。

ショーペンハウアー（18～19世紀／ドイツ）

知識欲にかられて、何か勉強したいと思うとき、まずすることは、それに関する「本を買ってくる」ということではないでしょうか。

それは、とてもいいことだと思います。

本を読むということは、学びを深め、教養を身につけ、自分の人間性を高めるために、とてもいい効果があります。

しかし、実際には、学ぶために本を買って、そのまま読まずに、どこかに放っておく、という人も多いようです。

それはとてももったいないことだと思います。

せっかくお金を出して買った本なのですから、読んで有効に活用したほうが得策です。

もちろん、「忙しくて、本を読む時間を取れなくなった」などといった理由もあるでしょう。

そういう場合には、初めから終わりまできっちり読むのではなく、時間を取れる範囲で、いわゆる「拾い読み」でもいいと思います。

たとえ**拾い読みであっても、学べるところは多くある**のです。

そして、時間があるときにもう一度初めからじっくりと、その本を読み直せばいいと思います。

時間がないときも拾い読みで本を読む

人間とは、一つの統合である。有限と無限と、時間的なものと永遠的なものの統合である。

キルケゴール（19世紀／デンマーク）

人生には、寿命があります。

つまり、限りがある、ということです。

言い換えれば、「有限なもの」であり、「時間的なもの」でもあるということを意味しています。

しかしながら、この限りある人生の中で、「無限のもの」「永遠的なもの」を追求していくことはとても大切です。

「無限のもの」「永遠的なもの」とは、たとえば仕事です。

アメリカの発明家であるトーマス・エジソンは、今はこの世にはいません。

しかし、エジソンが残した発明品は、映写機であれ、蓄音機であれ、形を変えながら今でも残っています。

そして、エジソンが発明した映写機は映画をはじめとしたエンターテインメント産業の、蓄音機は現在の音楽業界の発展の原動力になりました。

エジソンのように、限りある人生の中で、次の時代に残っていくような「永遠的な仕事」をしていくことが重要なのです。

そのように**「自分が死んだ後も永遠に残っていくものを成し遂げたい」という意欲を持って生きていくことが、いい人生につながる**のです。

そういう生き方を、キルケゴールは、「統合」と呼んだのです。


限りある人生の中で永遠に残るものをめざす

「生命の躍動」というものは、つまり、創造の欲求のことである。

アンリ・ベルクソン（19～20世紀／フランス）

人間にとっての大きな喜びの一つに、「創造する」ということが挙げられます。

熱中して何かを創造しているとき、人はもっとも生きている喜びを深く味わうことができるのです。

まさに「生命の躍動」を感じることができるのです。

そういう意味で、「創造的な生き方」をしていくことが人生をイキイキとさせます。

たとえば仕事でも、上から命じられることをただ忠実に行ってばかりいるのではなく、アイディアを練って、自分にしかできないような仕事を上司や取引先にどんどん提案していくのです。そのように、自分から新しい仕事を創造していくことが大切です。

創造的な仕事をしてこそ、働くことに大きな喜びを感じられるようになるのです。

プライベートでも、何か創造的な趣味を持つのがいいでしょう。

俳句を作ったり、文章を書いたり、料理を作ったり、絵を描いたり、自分で作曲してそれを演奏する、といった趣味です。

自分にしかできない、自分ならではの創造的な活動をすることによって、イキイキとした気持ちで日々を楽しく暮らすことができ、生きている充実感を得られるのです。

創造的な仕事と趣味は人をイキイキさせる

健康は、肉体のもっとも称賛にあたいする美徳である。

アリストテレス（紀元前4世紀／古代ギリシャ）

人生を楽しく幸福に生きていくために、もっとも大切なことは、「健康である」ということでしょう。

アリストテレスも、「健康こそが、もっとも称賛にあたいする」と述べています。

健康であるからこそ、旅行やスポーツなどを存分に楽しめます。

健康だから、仕事もがんばれます。交友関係も楽しめるのです。

その結果、幸せな気持ちで生きていけるのです。

したがって、日頃から、健康に留意して暮らしていくことが重要です。

もちろん生身の人間ですから、病気になることもあるでしょう。

そんなときも、それ以上病気が悪化しないように、健康的な生活を心がけることです。

「一病息災」という言葉もあります。

これは、「一つくらい病気があったほうが、日頃から暴飲暴食を慎み、無理なことをしないよう健康に留意して暮らしているので、かえって長生きすることが多い」という意味を表しています。

一つくらい、ちょっとした軽い病気を抱えていても、健康的に人生を楽しんでいくことは十分に可能なのです。

健康であることが幸せの基本

人間は、他人の経験から学ぶという特殊な能力を持った動物である。

ロビン・ジョージ・コリングウッド（19〜20世紀／イギリス）

これまで経験したことがないことを新たに始めようというとき、多くの人がまず初めにすることは、「経験者に話を聞く」ということではないでしょうか。

たとえば、ある人がフリーランスとして仕事を始めるとします。

そのときは、その分野ですでにフリーランスとして活躍している人に話を聞くでしょう。

フリーランスとして仕事を始めたときの経緯や、どのようにして成功したかという経験を聞くのです。

そして、聞いた話を、自分自身のこれからの活動の参考にします。

このようにして、**他人の経験から学び、その学んだことを自分のこれからの人生や仕事に生かしていくということができるのは、人間のすばらしい能力の一つ**なのです。

したがって、何かをしようというときには、積極的に経験者から話を聞き、経験者から学ぶ、ということをするのがいいと思います。

それが成功するためのコツになります。

また、効率的に、短時間で、成功へとたどり着くコツになるのです。

言い換えれば、他人の経験から学ぶということをしない人は、一人よがりのことばかりして、つまらない失敗を繰り返すということがよくあるのです。

効率的に仕事をするためには、人の経験から学ぶことが大切です。

成功のカギは経験者から学ぶこと

下の人にしたがうことを知らない人は、よき指導者になりえない。

アリストテレス（紀元前4世紀／古代ギリシャ）

よきリーダーに望まれる資質の一つは、強いリーダーシップを持って下の者たちをぐいぐい引っ張っていくカリスマ性があることだと思います。

しかし、カリスマ性だけでは、よきリーダーにはなれません。

リーダーは時に、下の者から学ばせてもらうという意識を持って、下の者たちの話をよく聞き、下の者たちの意見が正しいとわかったときには、素直に下の者たちにしたがう、ということもしなければならないのです。

そのような柔軟性と度量の広さを持ち合わせることも、よきリーダーになるための条件の一つだと思います。

組織の中でリーダーになる人は、もちろん、すぐれた能力と見識を持っている人です。

しかし、下にいる人たちの中には、ある分野においては、そのリーダーよりもすぐれた能力を発揮する人もいます。

リーダーよりも深い見識を持つ人もいるでしょう。

したがって、そのような**下にいる人たちを尊重し、その人たちからリーダーみずからが学ばせてもらう、という意識を持つことも大切**なのです。

それが、そのリーダー自身の成長につながり、下の者たちから慕われ、好かれるコツなのです。

下の者からも学ぶリーダーは慕われる

無知を怖れてはいけない。偽りの知識を怖れよ。

パスカル（17世紀／フランス）

「偽りの知識」とは何なのでしょうか？

それは、「よく知りもしないことを、いかにも詳しく知っているように話すこと」です。

特に、虚栄心の強い人は、このような「偽りの知識」をひけらかそうとするものです。

なぜ、そのようなことをするのかと言えば、一つには、「あの人は勉強家だ。色々なことを、よく学んでいる」と思われて、周りの人たちから尊敬されたいからなのでしょう。

そして、もう一つは、「実際には、自分は何も知らない無知な人間だ」ということを、周りの人たちに知られてしまうのが怖ろしいからではないでしょうか。

パスカルは、そんな無知を怖れてはいけないと教えているのです。

自分が無知であるならば、それを素直に認めるところから、「たくさんのことを学んで、賢い人間になろう」という意欲も生まれてきます。

「偽りの知識」をひけらかしているだけでは、このような「学ぶ」ことへの意欲は生まれてこないのです。

謙虚に、「自分には知らないことが多くある」ということを、怖れずに認めていくほうが賢明です。

自分の無知を認めることから学びは始まる

私たちの知識は、すべて経験に基づくものであり、知識は結局のところ、経験から生まれてくるものである。

ジョン・ロック（17〜18世紀／イギリス）

「知識」というものは、もちろん、人間が幸せに生きるために必要なものです。ですから、人は書物を読みます。書物から得られる知識によって、自分の人生を幸福へと導きたいと考えているのでしょう。

もちろん、書物から得た知識も役立ちます。

しかし、本当の意味で役立つのは、やはり、書物から得た知識よりも、自分が行動した経験から得られる知識ではないでしょうか。

何かにチャレンジしたり、新しいことをしてみたりして、そこから実体験として得られる知識は豊かで強いのです。

また、それは自分で行動してみて得られた自分ならではの経験と知識なのですから、すぐに自分の人生に役立てることができるのです。

ですから、書物を読んで知識を得ることも大切ですが、色々なことを実際にやってみて、そこから得られる体験を通しての知識も大切にしてほしいと思います。

そういう意味で、ロックは、「知識とは経験に基づき、経験から生まれる」と指摘したのです。

やはり**真の知識は、経験から、行動することから得られるもの**なのです。

特に若いうちは、色々なことにどんどんチャレンジして、経験から得られる知識を増やすのがいいと思います。

実体験として得られた知識こそ人生に生かされる

「驚く」「感動する」ということが、
「智」というものを愛し求める者の
原動力になる。
「智」を求めること、
つまり「哲学」の始まりは、
ここにある。

プラトン（紀元前5～4世紀／古代ギリシャ）

知的好奇心というものは、「なんてすばらしいんだろう」と感動したり、「これは何なのだろう」と驚いたりすることをきっかけにして始まり、また、深まっていきます。

たとえば、ある人は、空に虹がかかっているのを見て、「なんてすばらしいんだろう」と感動しました。

そして、「どうして虹ができるんだろう」と不思議に思い、気象に関する勉強を始めたのです。

そうして勉強していくうちに、気象のことがどんどん面白く感じられてくるようになりました。

そして、気象の勉強をすることが生きがいになり、やがて、気象予報士の資格も取ったといいます。

この事例のように、**知的好奇心を深めていくということは、その人にとって生きがいや、生きる喜びになっていきます**。

では、どうすればそんな知的好奇心を持てるのかと言うと、プラトンが指摘しているように、日常生活の中で「驚く」「感動する」ということを経験することです。

何を見ても、何を聞いても関心を持たず、無感動でいる人は、知的好奇心を持つきっかけを作ることができません。

多くのことに感動し、知的好奇心を深めていくことが、人生を楽しいものにしていくのです。

驚きと感動が知的好奇心を深める

自分を磨くヒント⑫

人が知識において多くものを得れば得るほど、その人は「実際に経験してみる」ことの必要性を強く感じるようになる。

ルネ・デカルト（16～17世紀／フランス）

書物を読んだり、学校で勉強したり、あるいは人から教わって、色々な知識を得たとします。

人は、そんな知識を数多く得るほど、実際の人生で試したいと強く思うようになるものです。

知識を知識のまま持っておくのではなく、実際に役立てたいと強く感じるようになるのです。

たとえば、ドイツの実業家であり考古学者だったシュリーマンは、子どもの頃、古代ギリシャの物語を読むことに熱中していました。

その物語にはトロイという古代都市の名が登場しますが、トロイの存在は当時、確認されていませんでした。

彼は大人になってから、子どもの頃に得た知識を自分で確認したくなります。

そして、会社経営で蓄えた財産をつぎ込んでギリシャの発掘調査に乗り出しました。

そして、トロイ遺跡の発見に成功したのです。

このように、豊富な知識を持ちながら、ポジティブに行動していく人が、色々な分野で成功をおさめ、幸せを築いていけるのでしょう。

ただ知識を蓄えるだけで満足するような人は、頭でっかちになりがちです。

知識を得ることと行動することのバランスを上手に取っていくことが成功の秘訣です。

得た知識を試してみる行動力が大事である

一般的に、人間の意志は、常に正しく、常に公の利益をめざす。

ジャン・ジャック・ルソー（18世紀／フランス）

自分の利益のためにしか行動しない人がいます。
わがままで、欲張りな人です。
そのような欲張りな人は、結局は、幸福な人生を歩めません。
周りの人たちから見放され、嫌われてしまうからです。
そのために孤独で不幸な人生を歩むことになるのです。
人は、何か行動を起こそうというときには、「これは正しい行動だろうか」
「この行動は、みんなのために役立つだろうか」ということを、いつも念頭に置いておくことが大切です。

そのように、**我欲といったものを捨て去って、「常に正しく、常に公の利益をめざす」ということを基準にして行動することが大切**です。

みんなの利益のために行動できる人は、多くの人たちから支持されます。たくさんの人たちから尊敬され、愛され、慕われるのです。

その結果、その人は幸せに生きていけます。

したがって、自分の利益のためだけに行動するのではなく、いつも、みんなの幸福を思い、みんなのために貢献することを大切にして、行動していくほうがいいと思います。

それが、自分自身の幸福を築いていくコツになります。

みんなの幸福のために行動していく

人間は、目標を追い求める生き物である。目標へ到達しようと努力することによってのみ、人生が意味あるものとなる。

アリストテレス（紀元前4世紀／古代ギリシャ）

人間にとって、「目標を決めて生きる」ということは、とても重要なことです。その目標が生きる指針にもなり、また、目標を達成することは生きがいにもなるからです。目標があるからこそ、「がんばろう」という意欲も出ます。

また、何か悪い誘惑を受けたときも、「目標を達成するために、こんな悪い誘惑に負けていてはダメだ」と考えることができます。

つまり、目標があるおかげで、自制心が働くのです。

そういう意味で、目標を持つことは非常に大切なのです。

また、その人がどのような目的を持ち、目標達成のために、どのような努力をしているかによって、「その人の人生が意味あるものかどうか」が決まります。

もちろん、正しい目標を掲げ、それに向かって誠実に努力を続けていく必要があります。

正しく、そして誠実であってこそ、その人生は「意味あるもの」になります。

自分勝手な、利己的な目標を立てて、そのために、他人を利用することに努力するような生き方では、その人生は「意味あるもの」にならないでしょう。

むしろ、まったく無意味な人生になってしまいます。

世の中のため、人々のためになる目標を掲げ、そのために自分なりに努力をしていくことが正しい目標と言えるでしょう。

世のためになる目標を掲げて努力する

若い頃は、知恵を磨くときであり、シニアは、それを生かすときである。

ジャン・ジャック・ルソー（18世紀／フランス）

若い人は、学校で、また、実社会に出てから、様々な形で「幸せに生きる知恵」を学んでいきます。

若いうちに、そのような「幸せに生きる知恵」を、できるだけたくさん学んでおくことは、とても大切なことです。

年齢を重ねてから、それは生かされてくるからです。

すなわち、**若い頃に数多くの「幸せに生きる知恵」を学ぶほど、年齢を重ねてから、その知恵を生かして実際に幸せに暮らしていける**のです。

しかし、若い頃にあまり幸せに生きる知恵を学んでこなかった人は、年齢を重ねてから幸せな人生を過ごせなくなる可能性も出てきます。

したがって、年齢を重ねてから不幸な思いをしないで済むようにするためにも、若い頃に幸せに生きる知恵をたくさん学んでおくほうがいいと思います。

では、どうすれば、幸せに生きる知恵をたくさん学べるかと言えば、それは、色々な本を読み、色々な経験を積み、たくさんの人に会い、そして、意欲的に様々なことを学ぶ、ということだと思います。

その中で、特に大切なのは、「経験を積む」ということではないでしょうか。興味を感じたものを実際にやってみて、積極的に新しいことにチャレンジしていくのです。

そのような経験から、「幸せに生きる知恵」が蓄えられ、やがて、年齢を重ねてから生かされるものなのです。

若い頃の知恵は年齢を重ねてから生かされる

6章

どんなときでも心を満たすために

～幸せを引き寄せるヒント

よりよく生きる道を探し続けることが、最高の人生を生きる、ということだ。

ソクラテス（紀元前5〜4世紀／古代ギリシャ）

人間の一生とは、「よりよい人生を実現するには、どうしたらいいか」ということを考え、また実践し続けることだと言えます。

「もっと大きな幸福感を得るためには、どう生きていけばいいか」

「今よりも、もっと個性的な生き方をするには、どうすればいいか」

「人のために尽くし、もっと多くの人たちから喜んでもらうには、どのような生き方をすればいいのだろう」

ということを考え続け、そして、思いついたことを実践していくのです。

そのような前向きでポジティブな生き方を続けていくことが、その人にとってのもっとも幸福な生き方にもつながります。

また、そのような向上心を忘れないでいる限り、その人は大きく成長し続けていくのです。

言い換えれば、「これで十分だ」と満足してしまわないことが大切です。

たとえ今、すばらしい生き方をしていたとしても、何か問題点を見つけて、「さらによい生き方はないか」と努力し続けるのです。

それこそが人間にとって「最高の人生」なのではないでしょうか。

停滞してしまってはいけないのです。人間は立ち止まることなく、どこまでも「よりよい人生」をめざして、前に進んでいくことが大切です。

前に進んでいる限り、その人の人生は充実しています。

よりよい人生をめざすことが最高の人生となる

時は、時をよく用いる者には、親切である。

ショーペンハウアー（18～19世紀／ドイツ）

「時をよく用いる者」とは、わかりやすく言い換えれば、「時間を大切にする人」という意味です。

限りある人生の、限りある時間を、幸せに生きるため、大いに楽しむために、有意義に使う人ということです。

そのように時間を大切にする人には、「時は親切である」と、ショーペンハウアーは指摘しています。

この「時は親切である」という言葉の意味は、**「時を大切にして人生を大いに**

楽しもうという意欲にあふれた人に対しては、時のほうも大いに歓迎して、その人に人生を楽しむ時間をたくさん与えてくれる」ということだと思います。

確かに、「人生は短い」のかもしれません。

しかし、その短い人生の中であっても、時を大切にして充実した人生を送ろうと思えば、たくさんの喜び、多くの感動を味わうことができるのです。

短い人生であっても、時を大切にしていけば、その短い人生の中には、楽しいこと、うれしいことは無尽蔵（むじんぞう）に含まれているのです。

ですから、時が過ぎ去っていくのを、ぼんやりと無駄遣いしている暇などありません。

今、この時を、どうやって充実させるかを考え、そして、実際に大いに充実することを実践していくのです。

時間を大切にすれば楽しい時間がたくさん生まれる

飲食、運動、睡眠の時間に、何も考えないで快活な気持ちでいることは、もっとも幸せなことである。

フランシス・ベーコン（16〜17世紀／イギリス）

「おいしいものを食べたり、飲んだりすること」

「運動で、快適な気分になること」

「心地よい眠りにつくこと」

この「飲食、運動、睡眠」という三つのことに、この上ない幸福感をおぼえる人も多いと思います。

そういう意味では、「飲食、運動、睡眠」という時間を大切にするほうがいいと思います。

言い換えれば、たとえば、おいしいものを食べたり、お茶を飲む時間に、嫌なことを思い浮かべてはいけないと思います。

それがストレスになって、せっかくの楽しい飲食の時間が台無しになってしまうからです。

それと同じように、運動をしているときに、厄介な問題を思い返して心を悩ませないことです。

そんなことをすれば、運動をしても、気持ちよくはなりません。

眠りにつくときも、心配事などを思い起こしては、心地よい眠りにつくことはできないでしょう。

いずれの場合も、「何も考えないで、快活な気持ちでいる」のがいいのです。

それが、幸せに生きるコツの一つになります。

飲食・運動・睡眠のときは嫌なことを考えない

哲学者たちが国々の王になって統治しない限り、その国々にとって不幸がやむことはない。

プラトン（紀元前5～4世紀／古代ギリシャ）

プラトンは、「哲人政治」という考え方を説きました。

「哲人」とは、哲学者のことです。

すなわち、「哲学者がその国の最高責任者になって、その国を統治していかなければならない」という考え方です。

哲学者とは、言い換えれば、「教養があり、深い考え方ができる人」という意味でしょう。

また、みずから教養や知識を深めていきたいという意欲にあふれた人という意味にも理解できると思います。

つまり、そのように**「学ぶことによって自分を成長させていきたい」という意欲にあふれた人が、国の統治者になるべきだ、**ということなのです。

これは「国の統治者」だけに言えることではないと思います。

たとえば、会社の社長、色々な組織のリーダー役に求められている素質も、また、「学ぶことによって自分を成長させていきたい」という意欲が旺盛にある、ということではないかと思います。

そのような学ぶ意欲がなく、ただ「お金持ちになりたい」「偉くなりたい」という思いだけで組織のトップに立っている人は、その組織の中にいる人たちに「不幸をもたらしてしまう」という危険もあるのです。

リーダーは自分を成長させる努力を惜しまない

愛の願望は自然に生じるが、愛というものは、そうはいかない。

アリストテレス（紀元前4世紀／古代ギリシャ）

「恋愛をしたい。愛する人と結ばれたい」という気持ちは、年頃になれば、心の中に自然に生じてきます。

しかし、実際に好きな人を見つけたり、好きな人と恋人同士になることは、「自然に」というわけにはいかないのです。

第一に、みずから積極的に、出会いを得られるような場所へ出かけていかなければなりません。

家の中にいたまま、何もしないで、「自然に好きな人が見つかる」ということはないでしょう。

そこには、夢を果たすための行動と努力が必要になってくるのです。

また、好きな人を見つけることができたとしても、その相手と恋人同士になれるのかと言えば、それもまた話が別になります。

その相手も自分を好きになってくれるように、さらに積極的に行動し、努力していく必要が出てくるのです。

つまり、**「恋愛をしたい」という願望を持つのは簡単だが、その愛を育てることは、それほど簡単なことではない**、ということなのです。

それだけ、まじめに、誠実に行動し努力していくことが大切なのです。

「幸せな恋愛関係」、あるいは、「幸福に満ちた結婚」といったものは、まじめで誠実な努力の上に成り立っているのです。

まじめで誠実な努力が幸せな恋愛を育てる

恋愛は、燃える火と同じで、絶えずかき立てられていないと、消えてしまう。だから、希望を失ってしまうと、たちまち恋は消えてしまう。

ラ・ロシュフーコー（17世紀／フランス）

幸福な恋愛にとっての障害の一つは「マンネリ化」ではないでしょうか。

お互いの関係がマンネリになっていくにしたがって、燃えあがっていた恋の炎もだんだんと消えていってしまうのです。

だからこそ、その恋愛が消え去ってしまわないように、恋の炎を「絶えずかき立てる」必要があるのです。

では、どのようにすればいいのかと言えば、もっともよい方法は、**「一緒に希望を作り出す」**ということではないかと思います。

たとえば、「一緒に旅行しよう」「一緒にコンサートに行こう」と決めて、話し合って計画を立てます。そうすれば、その旅行やコンサートが、お互いの希望になって、恋の炎をかき立てると思います。

また、「来年には結婚しよう」ということを話し合っておくのもいいと思います。結婚が希望になって、恋の炎が消え去ってしまうことはないでしょう。

このように、将来的に、恋人と一緒になって実現していく希望を、たくさん計画していくのです。

そうすれば、いつまでも、マンネリになることなく、お互いに幸せな関係を保っていけると思います。

一緒に希望を作ることで恋愛のマンネリは回避できる

大多数の人たちの幸福を求めていくことが、何よりも選ばれるべき目的であり、それが道徳的な意味での善にもなる。

ベンサム（18〜19世紀／イギリス）

自分の幸福ばかりを追い求めて生きていても、幸福を手にすることはできないでしょう。

幸福になるために大切なことは、世の中の「大多数の人たちの幸福を求めて」生きていくことです。

「どうしたら世の中の人たちを幸福にできるか」という気持ちを持って世の中と関わり、また、自分が果たす社会的な活動の中で、多くの人たちに喜びを与えられるように努力するのです。

そういう生き方が「道徳的な善」なのです。

人間が行う社会的な活動とは、あらゆる意味で、そのような「道徳的な善」でなければいけないと思います。

つまり、**人間が行う社会的な活動とは、あらゆる意味で、多くの人たちに幸福と喜びを与えるものでなければならない**のです。

そのような「道徳的な善」を追求する生き方ができてこそ、その人自身も幸福になれるのです。

具体的に言えば、たとえば仕事をしている人は、その仕事を通して世の中の人たちを幸せにしていけるよう努力するのです。

また、仕事をリタイアした人であっても、ボランティアといった社会的活動を通して、世の中の人たちに喜びを与えていくことです。

世の中のより多くの人たちの幸福を考える

私の好きな話し方は、単純で、素朴で、紙に書くときも、口に出すときも、変わらない話し方だ。

モンテーニュ（16世紀／フランス）

人の「話し方」には、その人の「人柄」が表れるものです。

人柄が立派な人は、すばらしい話し方をします。

多くの人たちから好かれる人は、人から慕われるような話し方をします。

モンテーニュのこの言葉にある「単純で、素朴な話し方」とは、言い換えれば、「わかりやすい話し方」という意味だと思います。


あまり回りくどい話し方はせず、自分が伝えたいことがわかりやすく相手に

伝わっていくように、「単純で、素朴な話し方」を心がけるのです。

そうすれば、相手とよく意思疎通ができます。お互いに考えていることを理解し合えます。そこに、いい関係が生まれるのです。

また、「紙に書くときも、口に出すときも、変わらない話し方」とは、つまり、「紙に書くからと言って、あまり気取った書き方はせず、一方で、直接相手に話しかけるからと言って、あまりぶっきらぼうな話し方はしない」ということだと思います。

話し言葉にしても、ある程度は紙に書くときと同様に理路整然と、礼儀正しい話し方をすることが大切です。

そのような話し方で世間の人と接していけば、多くの人から慕われ、また、尊敬されると思います。

気取らず礼儀正しい話し方をする人は慕われる

尊敬というものがなければ、真の恋愛は成立しない。

ヨハン・ゴットリープ・フィヒテ（18〜19世紀／ドイツ）

好きな人と恋人同士として、幸せな関係を築いていくために必要不可欠なものがあります。

それは、**「相手を人間として尊敬する気持ちを持つ」**ということです。

「この人は、私にはない、すばらしい才能を持っている」

「この人は人間性がとても豊かだ。それに性格もやさしい」

といったように、相手の人間性を尊敬する気持ちを持ってこそ、お互いに仲のいい関係を続けていくことができます。

逆の言い方をすれば、

「こんなことも知らないなんて、教養がない人だ」

「なんて愚かなことをする人なんだろう」

といったように、心のどこかで相手を見下したり、相手を軽蔑するような気持ちを持っていたとすれば、その恋愛関係はうまくいかないでしょう。

いつか相手とケンカになって、別れてしまうのではないでしょうか。

男女関係では、交際が深まるにつれて、相手の欠点などが見えてくる場合もあります。

しかし、相手に欠点があるからといって、無闇に相手を軽蔑しないほうがいいのです。

あくまでも、相手のいいところを見つけ、そして、相手を尊敬する気持ちを忘れないでいれば、いつまでもいい関係を続けていけるでしょう。

相手を尊敬する気持ちがないと恋愛はうまくいかない

結婚生活に入るときには、「自分はこの人と年を取るまで、仲よく会話ができるだろうか」と、自問してみるのがいい。結婚生活とは、長い会話である。

フリードリヒ・ニーチェ（19世紀／ドイツ）

夫婦関係がうまくいかなくなる原因の一つに、会話がなくなるということが挙げられます。

夫婦の間で会話がなくなっていくと、お互いに相手が何を考えているのかわからなくなっていき、その結果、何かと気持ちがすれ違うようになります。

そして、相手の気持ちを誤解することも多くなっていくのです。

その結果、ちょっとしたことで口論になってしまいます。夫婦関係が悪化し、場合によっては、別居や離婚ということにもなりかねません。

言い換えれば、**いつまでも仲のいい夫婦関係を保っていくためには、よく会話し、コミュニケーションを頻繁に取るということが大切**です。

現代は共働きが増えています。そのために夫婦が一緒に過ごす時間も減ってきているように思います。

意識して、お互いに会話を増やすように努力することが大切です。

楽しい世間話や自分の近況報告、趣味の話、これからの希望など色々な話題に関して、コミュニケーションを密にしていくことで、夫婦仲よく暮らしていけると思います。

夫婦円満の秘訣は会話にあり

金銭に対して、
あまり欲張りになってはいけない。
金銭について欲張りになればなるほど、
その人の精神が卑しいものになる。

キケロ（紀元前2～1世紀／古代ローマ）

人が幸せに生きていくために、お金はとても重要な役割を果たします。

しかし、あまり欲張りにならないほうがいいと思います。

欲張りな人は、「お金があればあるほど、幸せになれる」と考えがちです。そのために、「もっともっとお金がほしい」と、欲のとりこになってしまいます。

しかし、あまりに欲張ると、かえって自分の人生に不幸な出来事をもたらしてしまうのです。それは「その人の精神が卑しいものになる」からです。「精神が卑しくなる」というのは、何事にもガツガツとした人間になり、自分のことしか考えないエゴイストになる、ということです。

人に喜びを与えるという気持ちを忘れてしまって、自分の利益のために人を利用することしか考えなくなります。

その結果、周りの人たちから軽蔑され、嫌われるようになっていきます。そして、結局は、不幸な人生を歩んでいくことになるのです。

お金を大切に思いながらも、お金に対して欲張りになってはいけない、ということです。

暮らすのに十分なお金があれば、それに満足する気持ちを持つことが大切です。

それが、この世の中で幸せに生きていくためのコツです。

お金に欲張りになってはいけない

欲張ることは「海の水」を飲むのと似ている。欲張って飲めば飲むほど、ますます喉が渇いてくる。

ショーペンハウアー（18～19世紀／ドイツ）

人間の欲には切りがありません。
たとえば、「豪邸に住みたい」と、欲張って考えたとしましょう。
幸運に恵まれて、豪邸を手に入れることができたとします。
しかし、欲張りというものは、そこで満足することはできません。
「豪邸の次には、別荘がほしい。ヨットがほしい。高級外車がほしい」といったように、欲がどんどんふくらんでいってしまうのです。

それは、ちょうど「海の水を飲む」のと似ています。

海の水を飲んでも、喉の渇きは癒されません。

海の水は塩っからいので、ますます喉が渇いてしまいます。

さらに海の水を飲んで一層喉が渇いて、また海の水を飲む……つまり、いつまで経っても「満足する」ということができません。

そのようにして「満足できない人生」を生きていくことが、その人にとって幸せであるはずはないのです。

むしろ「満足できない」ということは、不幸な人生である証(あかし)でしょう。

幸福な気持ちでいるためには、「満足する」ということが大切です。

そのためには、あまり欲張りにはならず、「ほどほどで満足する」ということを心がけて生きていくことが大切です。

ほどほどで満足することを心がける

参考文献

『名言名句の辞典』三省堂編修所／三省堂
『世界金言ことわざ名句辞典』田島諸介／梧桐書院
『心を育てる名言話材百科』勝部真長監修／大石勝男ほか編／文教書院
『世界の哲学者の言葉から学ぼう　100の名言でわかる哲学入門』小川仁志／教育評論社
『忘れてしまった哲学の名言』荒木清／中経出版
『国富論〈2〉』アダム・スミス著／水田洋監訳／岩波文庫
『国富論』アダム・スミス著／大河内一男監訳／中公文庫
『実存主義とは何か　実存主義はヒューマニズムである』サルトル著／伊吹武彦訳／人文書院
『眠られぬ夜のために　第二部』ヒルティ著／草間平作・大和邦太郎訳／岩波文庫
『創造的進化』アンリ・ベルクソン著／合田正人・松井久訳／ちくま学芸文庫
『テアイテトス』プラトン著／田中美知太郎訳／岩波文庫

『読書について　他二篇』ショウペンハウエル著／斎藤忍随訳／岩波文庫
『饒舌について　他五篇』プルタルコス著／柳沼重剛訳／岩波文庫
『哲学の改造』ジョン・デューウィ著／清水幾太郎・清水禮子訳／岩波文庫
『ツァラトゥストラはこう言った（下）』ニーチェ著／氷上英廣訳／岩波文庫
『幸福論』アラン著／神谷幹夫訳／岩波文庫
『ルイ・ボナパルトのブリュメール十八日』マルクス著／伊藤新一・北条元一訳／岩波文庫
『人間悟性論』ジョン・ロック著／加藤卯一郎訳／岩波文庫
『方法序説』ルネ・デカルト著／山田弘明訳／ちくま学芸文庫
『ニコマコス倫理学（下）』アリストテレス著／高田三郎訳／岩波文庫
『エセー（一）』モンテーニュ著／原二郎訳／岩波文庫
『ラ・ロシュフコー箴言集』二宮フサ訳／岩波文庫
『スピノザ　エチカ』高中尚志訳／岩波文庫
『孤独な散歩者の夢想』ルソー著／今野一雄訳／岩波文庫
『人間知性新論』ライプニッツ著／米山優訳／みすず書房

人生の指針となる
言葉がここにある。

著者略歴　植西 聰（うえにし・あきら）

東京都出身。著述家。学習院高等科・同大学卒業後、㈱資生堂に勤務。独立後、人生論の研究に従事。独自の『成心学』理論を確立し、人々を元気づける著述活動を開始。1995年、産業カウンセラー（労働大臣認定資格）を取得。主な著書に『「折れない心」をつくるたった1つの習慣』（青春出版社）、『平常心のコツ』（自由国民社）、『「いいこと」がいっぱい起こる！ ブッダの言葉』（三笠書房）、『マーフィーの恋愛成功法則』（扶桑社）、『ヘタな人生論よりイソップ物語』（河出書房新社）、『「カチン」ときたときのとっさの対処術』（ベストセラーズ）、『運がよくなる100の法則』（集英社）、『「運命の人」は存在する』（サンマーク出版）、『願いを9割実現するマーフィーの法則』（KADOKAWA）など多数。近著に『何が起きても心が整う人の9つの習慣』（永岡書店）、『お茶の時間の1日1話 心のひと休み』（青春出版社）、『楽しいことがいっぱい起こる！ うまく老いる習慣』（徳間書店）などがあり著書累計は500万部を超える。

装丁・本文デザイン　株式会社ウエイド（山岸 全）
編集協力　大西華子
DTP　編集室クルー
校正　西進社

人生を動かす　哲学者の言葉

2022年10月10日　第1刷発行

著　者　植西聰
発行者　永岡純一
発行所　株式会社 永岡書店
〒176-8518　東京都練馬区豊玉上1-7-14
代表：03-3992-5155　編集：03-3992-7191
印　刷　精文堂印刷
製　本　コモンズ・デザイン・ネットワーク

ISBN978-4-522-45410-7 C0110
落丁・乱丁本はお取替えいたします。